Emilia Pardo Bazán

Interiores

Barcelona 2023
Linkgua-ediciones.com

Créditos

Título original: Interiores.

e-mail: info@linkgua.com

Diseño de cubierta: Mario Eskenazi.

ISBN rústica: 978-84-9953-960-7.
ISBN ebook: 978-84-9007-830-3.

Sumario

Brevísima presentación

La vida

Emilia Pardo Bazán (1851-1921). España.

Nació el 16 de septiembre en A Coruña. Hija de los condes de Pardo Bazán, título que heredó en 1890. En su adolescencia escribió algunos versos y los publicó en el *Almanaque de Soto Freire.*

En 1868 contrajo matrimonio con José Quiroga, vivió en Madrid y viajó por Francia, Italia, Suiza, Inglaterra y Austria; sus experiencias e impresiones quedaron reflejadas en libros como *Al pie de la torre Eiffel* (1889), *Por Francia y por Alemania* (1889) o *Por la Europa católica* (1905).

En 1876 Emilia editó su primer libro, *Estudio crítico de Feijoo*, y una colección de poemas, *Jaime*, con motivo del nacimiento de su primer hijo. *Pascual López*, su primera novela, se publicó en 1879 y en 1881 apareció *Viaje de novios*, la primera novela naturalista española. Entre 1831 y 1893 editó la revista *Nuevo Teatro Crítico* y en 1896 conoció a Émile Zola, Alphonse Daudet y los hermanos Goncourt. Además tuvo una importante actividad política como consejera de Instrucción Pública y activista feminista.

Desde 1916 hasta su muerte el 12 de mayo de 1921, fue profesora de Literaturas románicas en la Universidad de Madrid.

Bromita

Había un compañero de oficina, un señor Picardo, que nos divertía infinito —díjome el cesante, sacudiendo momentáneamente la preocupación que le abruma, a consecuencia de haberse quedado sin empleo—. Tanto nos divertía, que desde que él faltó, la oficina parecía un velatorio, a pesar de las diabluras y humoradas de nuestro célebre Reinaldo Anís.

Picardo y Anís andaban enzarzados siempre, y eran impagables sus peloteras. Ha de saberse que Picardo, siendo un cuitado en el fondo, tenía un genio cascarrabias. Por eso nos entretenía pincharle, porque saltaba, ¡saltaba como un diablillo! Y era perderse de risa oír los desatinos que discurría Anís, las invenciones que se traía cada mañana para desesperar al santo varón.

Picardo padecía la enfermedad de admirar; era apasionado de Moret, a quien oía en *La Tribuna* del Congreso; apasionado de Silvela, como estadista; apasionado de la Barrientos, desde una noche que le regalaron unos paraísos y oyó el Barbero. Y nosotros le volvíamos tarumba negando la elocuencia de don Segismundo, el acierto de don Francisco y los gorgoritos de la diva. Anís ponía a votos la cuestión.

—Verá usted lo que todos opinan...

—A mí no me convencen ustedes. Cada cual tiene su criterio.

¿Su criterio? Eso no se lo consentíamos. Caía sobre él la oficina en peso. Y había que verle, medio loco, defendiéndose como ciervo entre alanos. Ya persuadido de que le aturdíamos y no lo dejábamos resollar, se encogía, se enfurruñaba y casi desaparecía su cabeza bajo el cuello de su famoso gabán color chocolate barato. Picardo era calvo, engurruminado, pequeñito; no tenía cejas, y cuando tardaba en afeitarse, le salía un pelo de barba como hierba pobre. Al irritarse poníase colorado de súbito, desde la nuca hasta la nuez, cual si le hubiesen escaldado con agua hirviendo. Era una cosa tan fija, que nos guiñábamos el ojo.

—¡Ahora! ¡Ahora! ¡El pavo!

No obstante, a la larga nos pareció que a Picardo se le embotaba la sensibilidad. Ya oía tranquilo, o poco menos, nuestras herejías contra oradores y cantantes. Habíamos gastado aquel resorte. Entonces acordamos buscar otros.

Sabíamos algo de su historia; no ignorábamos que Picardo había sufrido infortunios conyugales, y hasta que había estado loco, o punto menos, una temporada. También decían que por poco se mete trapense, y que su esposa residía en Barcelona gastando boato. Nos propusimos que nos contase estas aventuras; pero no hubo forma. Lo único que logramos fue hacer reaparecer el consabido rubor de toda su cara y seguramente de toda su piel.

Como no dio más juego el asunto, emprendimos la tarea de herir los sentimientos de Picardo; porque ha de saberse que Picardo era una mina de sentimientos, y que si la noble indignación se vendiese al peso, Picardo se hace poderoso. Anís le banderilleó atacando a ministros y grandes hombres, autoridades y celebridades, y no dejando a ninguno hueso sano. La verdad es que no entiendo por qué esto le arrebolaba tanto a Picardo el cuero cabelludo. Agotado el filón, Anís arremetió con la Iglesia y, hecho un Renan, destrozó el dogma. Después le tocó el turno a las instituciones, pero aquí le atajamos, no fuese que un portero oyese la retahíla, la tomase por donde quema y se armase un caramillo. En pos de la fe y los poderes constituidos, acometió Anís a la moral, y expuso doctrinas de un inmoralismo crudo y canibalesco. Los argumentos que desenterró para convencer a Picardo de que debemos comernos los unos a los otros eran de lo más salado y bufo. Picardo gruñía; pero lo que le sacó de sus casillas, lo que le puso no rojo, sino violeta, fueron los insultos de Anís a las mujeres. Aquel día, al final, se abalanzó contra el deslenguado —fue el nombre que le dio—, y creíamos que en un rapto de furor le sacaba los ojos. Anís se echó atrás tartamudeando:

—Pero ¿qué le pasa a este imbécil?

No tardamos en saber lo que le pasaba. Averiguamos que Picardo tenía una hija, a quien adoraba, de quien no hablaba nunca, y que algunas frases de Anís le habían sonado como alusiones a la muchacha. Pura casualidad, pues Anís ignoraba su existencia.

Lo cierto es que Anís quedó deseoso de jugarle una gorda a Picardo, y que no tardó en conseguirlo.

—Dejémosle ya en paz —recuerdo que dije al bromista—. Da fatiga torearle tanto.

—Nada de eso —protestó él—. Lo que haré será discurrir algo fino, una broma que se pegue al cuerpo.

Me acuerdo de que esta conversación fue el sábado antes de Carnaval, y el domingo convidé yo al teatro a toda la oficina. Nos reímos como benditos con el gracioso sainete Los pantalones; hasta Picardo se reía. Anís tomaba en la representación interés especial.

Pasados los Carnavales, volvimos a nuestras tareas. Yo creí que Anís había renunciado a su propósito. Hablaba con Picardo muy formal, demostrándole una cortesía deferente. Cuando sonó la hora de retirarse, Anís me hizo una seña disimulada de que saliésemos con Picardo. Miré de reojo. Picardo recogía del bastonero su bastón y se apoyaba en él como todos se apoyan; sin fijarse. Al hacerlo, pareció que tropezaba. Le vimos examinar el bastón con sorpresa, encogerse de hombros y echar a andar.

—¿Ha cortado usted el bastón? —pregunté sofocando la risa.

—Tan poco, que apenas se nota —respondió Anís en el mismo tono—. Y pienso continuar todos los días, pero solo una pizca, una miaja. La gracia está en que el bonus vir se figure que el bastón encoge. Saco la contera y la vuelvo a colocar, y ni visto ni oído. Hoy algo percibió, pero se figurará que ha soñado. Verá usted cuando transcurra tiempo. No volvamos a salir con él: puede escamarse.

Así se hizo. Nos limitamos a observar al paciente con el rabo del ojo. Desde el cuarto día se reveló su preocupación. Era, no obstante, tan poquito lo que del palo raía Anís, que no pudo germinar la sospecha de la broma. A cada paso estaba Picardo más abstraído, más metido en sí, más melancólico. Llegó el período de hablar solo, de accionar sin causa. Alguna vez nos fijó angustiosamente. No sé si era que quería consultarnos o que recelaba. Esto último no debía de ser, porque todo se hizo de un modo impenetrable. El portero veía a Anís raer el bastón, pero un duro nos aseguró su silencio.

Alarmado yo por la expresión de extravío de la cara de Picardo, al fin me solivianté:

—Oiga usted, Anís: no más... Hay que desengañarle.

Anís se rió y asintió:

—Bien; pues se le desengañará mañana; entre otras cosas, porque ya el bastón no mide una altura verosímil.

Y el mañana no llegó nunca. Al otro día, Picardo no concurrió a la oficina: había tenido un acceso de su antiguo frenesí en mitad de la calle; gritó, pegó, quiso matar a un policía y le encerraron, naturalmente, en un manicomio.

–¿Y su hija? –pregunté.

–No sé qué habrá sido de ella –contestó el narrador, encogiéndose de hombros, con indiferencia distraída.

Blanco y Negro, núm. 719, 1905.

Eximente

El suicidio de Federico Molina fue uno de los que no se explica nadie. Se aventuraron hipótesis, barajando las causas que suelen determinar esta clase de actos, por desgracia frecuentes, hasta el punto de que van formando sección en la Prensa; se habló, como siempre se habla, de tapete verde, de ojos negros, de enfermedad incurable, de dinero perdido y no hallado, de todo, en fin... Nadie pudo concretar, sin embargo, ninguna de las versiones, y Federico se llevó su secreto al olvidado nicho en que descansan sus restos, mientras su pobre alma...

¿No pensáis vosotros en el destino de las almas después que surgen de su barro, como la chispa eléctrica del carbón? ¿De veras no pensáis nunca, lo que se dice nunca? ¿Creéis tan a pies juntillas, como Espronceda, en la paz del sepulcro?

El príncipe Hamlet no creía, y por eso prefirió sufrir los males que le rodeaban, antes que buscar otros que no conocía, en la ignota tierra de donde no regresó viajero alguno.

Tal vez, Federico Molina no calculase este grave inconveniente de la sombría determinación: no sabemos, no sabremos jamás, lo que creía Federico –ni aun lo que dudaba–, porque a Hamlet, trastornado por la aparición de la sombra vengadora, no le preserva de atentar contra su vida la fe, sino la duda; el problema del «acaso soñar...»

Una casualidad de las que parecen inventadas y no pueden inventarse, trajo a mis manos algo que a un diario se asemeja; apuntes trazados por Federico, que tenían en la primera hoja la fecha de un año justo antes del drama. La clave de su desventura la encierra el elegante álbum con tapas de cuero de Rusia, con las iniciales F. M. enlazadas, de oro, vendido a un prendero en la almoneda, adquirido por un aficionado a encuadernaciones, que arranca cuidadosamente lo escrito o impreso y solo guarda la tapa, habiéndose formado una soberbia, ¿diré biblioteca?, de forros de libros, y a quien yo he suplicado que me ceda lo de dentro, ya que solo estima lo de fuera –y tal vez es un gran sabio–. Así pude penetrar en el espíritu del suicida, y creo que nadie traducirá sino como yo las traduje las indicaciones que extracto coordinándolas.

• • •

«¡Siempre lo mismo! La impresión persiste.

¿Cómo empezó?

Esto es lo malo: no lo puedo decir. Fue tan insensible la inoculación, que apenas recuerdo antecedentes.

No veo causa, no veo origen definido. No he recibido, a mi parecer, ningún susto; no he sufrido emoción alguna, profunda o repentina y sobrecogedora, que justifique estado de ánimo tan especial.

¿De ánimo? Y también de cuerpo. Noto que mis funciones se han alterado; cada día compruebo los estragos del mal en mi organismo.

La depresión de mis facultades es gradual, honda.

Mi inteligencia está perturbada, mi cerebro no rige, mi corazón es un reloj descompuesto. Ni aun sé si voy a conseguir notar con exactitud lo que me pasa.

Lo intentaré...

Se me figura que el origen de esto ha sido la mala costumbre de leer de noche, en cama, a las altas horas.

La puerta está cerrada: yo mismo, antes de acostarme, he dado a la llave dos vueltas. La calma de uno de los barrios menos ruidosos de Madrid envuelve como acolchada manta el dormitorio y la casa toda. La seguridad es absoluta: desde tiempo inmemorial no se oye hablar de ningún robo, de ningún ataque a domicilio; solo miserables raterías al descuido. Ningún peligro me amenaza. Estoy despierto; tengo a mano, bien cargado, mi revólver, y mi servidor, que duerme cerca, es fiel y resuelto; cuento con él a todo trance.

Siendo así, ¿por qué, en medio de la lectura, me quedo con el libro abierto, los ojos fijos en un punto del espacio, las manos heladas, el pelo electrizado en las sienes, el diafragma contraído?

¿Qué oigo, qué veo, qué percibo alrededor de mí?

La habitación es bonita, confortable, sin nada que pueda excitar insanamente la fantasía. No hay en ella sino muebles modernos y ricos, una larga meridiana en que duermo la siesta, asientos bajos, mi armario de Luna, un estante de libros, un reducido escritorio. Ni rinconadas, ni cortinajes tras de los cuales la imaginación finge bultos escondidos traidoramente...

Los colores del tapizado son alegres; el fondo, claro; por presentimiento sin duda, no he querido colgar de la pared sino cuadros de plácido asunto, evitando los santos martirizados, las escenas de crueldad y sangre. Con tales elementos de serenidad, es preciso que lo diga, es preciso que lo reconozca: ¡tengo miedo!..., un miedo horrible, un miedo que me impide respirar, sosegar y vivir.

Apenas los últimos ruidos de la ciudad se aquietan; así que empieza a establecerse ese sosiego amodorrado que invita a la dulzura del sueño, un desvelo nervioso se apodera de mí. Una voz irónica murmura dentro de mi cráneo, más allá de mi oído: «¡No dormirás, no dormirás!» Y esto es lo extraño: me encuentro en compañía de alguien, no sé de quién, pero de alguien que se instala allí, a mi lado, tan próximo, que me parece escuchar el ritmo de su respiración y advertir cómo su sombra se desliza suave, fugaz, por la blanca pared frontera.

Ese misterioso alguien no se coloca jamás delante de mí. Lo siento a mis espaldas. ¿Dónde? No hay sitio libre entre la cama y la pared. Sin duda —todo es posible tratándose de un aparecido—, la pared retrocede para dejar hueco a su cuerpo; y si yo me volviese ahora de improviso, vería al ser que se ha propuesto no abandonarme. Pero no me atrevo, no me atreveré nunca. Le creo detrás; no me resuelvo, y temo que extienda una mano, que me figuro fría y marmórea, y me la pase lentamente por la sien o me tape con ella los ojos...

Vuelto a las aprensiones de la niñez, apago la luz precipitadamente y me cubro el rostro con los pliegues de la sábana para defenderme de la espantable caricia.

¿Seré tan cobarde?... Avergonzado, empiezo a recontar los actos de valor de mi hoja de servicios... He tenido, como todo el mundo, mi media docena de lances de honor, y, lo que ya no es tan frecuente, en uno de ellos dejé malherido a mi adversario, una fine lame. Estuve a pique de ahogarme en San Sebastián, y no recuerdo que se me encogiese el alma. Velé a un primo mío, enfermo del tifus más pegajoso, y ni se me ocurrió temer el contagio. He mostrado indiferencia ante los peligros, y no falta algún amigo mío que diga que tengo pelos en la entraña. El testimonio de mi conciencia grita que no soy apocado.

Y, sin embargo, esto es miedo, miedo vil; no falta ningún síntoma: ni el castañeteo de dientes, ni el sudor helado, ni el zumbar de oídos, ni las desordenadas palpitaciones del corazón, que, súbito, se detiene como si fuese a dejar de latir.

El reloj, guardado en la mesa de noche, teje con regularidad rítmica su tic-tac menudo, y mi sangre, cuajada o arrebatada violentamente por la alteración del miedo, da un vuelco más fuerte que todos y se precipita torrencial, causándome una especie de congestión. Es que detrás de mí he sentido, ya claramente, un respirar lento, un hálito de fatiga, un soplo perceptible, y me encojo, y no acierto a incorporarme, y permanezco así, oyendo siempre el respiro del otro mundo, que, en ondas largas, sutiles, me envuelve...

Me he consultado. «Viaje usted, haga ejercicio, coma cosas nutritivas; eso es efecto no más de los nervios y la imaginación.» ¡Como si los nervios y la imaginación no formasen parte de nosotros! ¡Como si supiésemos lo que esas palabras –nervios, imaginación– quieren decir!

He viajado; mi viaje ha durado tres meses. En las habitaciones de las fondas, infaliblemente, cada noche me ha visitado el mismo terror; he percibido detrás de mí, en acecho, al mismo ser, que no puedo nombrar ni calificar, pues no tengo ni remota idea de su forma: ignoro de dónde viene. Solo sé que está allí, que su aliento sepulcral me roza la cara, que penetra hasta mis tuétanos, que vierte en ellos ponzoña.

Una noche, en un acceso de rabia, cogí mi revólver y disparé hacia atrás, donde sentía el hálito maldito. Acudió gente; pretexté miedo a ladrones. ¿Cómo explicar? No entenderían...»

....

«Y es preciso que esto termine –decía una de las últimas hojas del diario–. Me volveré loco, porque, después del disparo, he vuelto a oír la respiración, he vuelto a comprender que había alguien, y es imposible resistir tanto tiempo un suplicio que ni puedo confesar.»

Sin duda, después de emborronada esta página, el miedo insuperable hizo su oficio, y Federico Molina no disparó contra una sombra.

Blanco y Negro, núm. 714, 1905.

Las vistas

Ya terminaba la faena de la instalación de los trajes, galas, joyas y ropa interior y de mesa y casa, lo que nuestros padres llamaban las vistas y nosotros llamamos el trousseau, cometiendo un galicismo y tomando la parte por el todo. En el gran salón, forrado de brocatel azul, retirados los muebles, se había erigido, alrededor de las cuatro paredes, ancho tablero sustentado en postes de pino, cubierto por amplias colchas y paños de seda azul también, el color predilecto de la rubia novia; y simétricamente colocado y dispuesto con cierto orden que no carecía de simbolismo, ostentábase allí el lujo de la boda, los miles de duros gastados en bonitas cosas semiinútiles.

A lo largo de los tableros podía estudiarse, prenda por prenda, no solo el secreto del tocado íntimo de la futura señora de Granja de Berliz, sino de la vida común, la ya inminente vida conyugal. Los ojos curiosos se recreaban en las faldas de crujiente seda tornasol, con volantes soplados como pétalos de flor fresca; en las enaguas, donde se encrespan las concéntricas orlas de espuma del encaje; en los pantalones y suits de forma indiscreta, con moñitos provocativos; en las docenas y docenas de camisas vaporosas y guarnecidas, de escote atrevido, ondulante; en los cubrecorsés, que repiten el motivo galante y gracioso de la camisa; en las luengas medias flexibles, de transparente seda pálida, caladas allí donde las han de llenar las finas curvas del empeine y del tobillo, y se ha de adivinar la seda más delicada aún de la piel; en las batas salpicadas de lazos fofos, blandos, de tejidos esponjosos y sin apresto, como arrugadas de antemano, lánguidas con voluptuosa languidez; en los corsés breves, moldeados, enrollados, y uno de ellos —el del día solemne—, florido en su centro por diminuto ramito de azahar... Y después, la ropa que ya pertenece al hogar, al menaje: las sábanas con arabescos de bordados primorosos o con encajes de elegante diseño; las mantas que prometen dulce calor familiar en el invierno; las colchas de espesa seda, veladas por guipures, todo rebordado con cifras cuyo enlace significa el de las almas; las mantelerías brillantes, los caprichosos servicios de té en forma rusa, los infinitos refinamientos de la riqueza y del gusto, el derroche que se admira un día y pasa después a los armarios.

En maniquíes se gallardeaban los vestidos, los abrigos, los sombreros; en varias mesas, dentro del gabinete contiguo, las joyas y la plata labrada, los velos y volantes, las sombrillas, los abanicos. Cuando las amigas y amigos convidados a la exhibición penetraron en las dos habitaciones y empezaron a cumplir su deber de deslumbrarse, envidiar, alabar alto y criticar bajo todo aquello, subía la escalera el novio, Cayo Granja de Berliz, uno de los buenos partidos que por espacio de ocho o diez años de soltería militante se disputaron a alfilerazos varias señoritas de la corte, y a quien, por fin, había logrado prender en su red de oro Nina Valtierra. Red de oro, no solo porque Nina era rubia, sino porque Nina tenía hacienda, brillante porvenir dorado.

Y, sin embargo, a pesar de las ventajas y atractivos de Nina, Cayo, al ascender a casa de su novia, llevaba formada la resolución de romper el concertado enlace. Enganchado primero por ardides de coquetería y por esa insensible derivación de los sucesos que nos lleva a donde nunca pensamos ir; comprometido después por la misma virtud de lo dicho y hecho, que tantas veces no responde ni a lo sentido ni a lo pensado, Cayo, poco a poco, durante los meses de cortejo oficial, se había dado cuenta, con una especie de terror, de que no quería a su futura. Gustábale, eso sí; gustábale para la charla y el devaneo, para la somera intriga amorosa, para la superficie y la película del sentimiento, que ni sentimiento llega a ser, bien mirado; pero había momentos en que, a aquella mujer que le gustaba, creía Cayo detestarla con todo su corazón, y de buen grado le diría la frase del hierro al imán: «Te odio más que a cosa alguna, porque atraes y no eres capaz de sujetar.» La tristeza y la preocupación que algunos más observadores notaban en Cayo no tenían otro origen sino esta idea, que, en vez de borrarse se alzaba de relieve, a cada día más importuna, más tenaz, más torturadora. A nadie lo decía; a nadie se hubiese atrevido a confiarlo. Se reirían de él. ¡Vaya una ocurrencia! ¿No era Nina Valtierra una muchacha guapa, fina, lista, con caudal, de parentela ilustre, de tan buena reputación como las demás de su esfera y clase? ¿Qué tacha podía ponerle? ¿Qué requisito le faltaba? Y Cayo, sonriendo con amargura, se decía a sí mismo: «La tacha es mía. El requisito me falta a mí. Es que no la quiero. Y a ella también le falta esa divina quisicosa. Tampoco me quiere. Casarse, bueno; quererse..., no nos queremos de ninguno de los modos..., ni siquiera del modo inferior. Ni aun disfrutaremos de la locura corta que termina en tontería muy larga. Y ¿por qué no lo he visto antes? ¿Qué venda me cubría los ojos a mí, que no estaba enamorado? Es —añadía Cayo, disculpándose a sí mismo; en esto paran todos los soliloquios— que no me he fijado en que el matrimonio es cosa seria, la más seria de la vida. He ido a él como se va a una comida o a un sarao. Ahora veo que no tengo derecho a casarme. Le diré la verdad a Nina. Es lo mejor... Antes de saltar al precipicio, retroceder.»

No sin lucha, se decidió Granja a realizar este acto de sinceridad inusitado. Adivinaba la extrañeza y los comentarios, el remolino de escándalo que levanta al desbaratarse una boda; presentía las reconvenciones de los padres; dolíale el bochorno de la novia. Con todo eso, iba determinado ya. Hablaría con lisura, francamente; haría todas las reservas y daría todas las explicaciones que pudiese apetecer el amor propio, hasta la vanidad de Nina; proclamaría la verdad a gritos, o si era preciso, la reemplazaría con la mentira más conveniente y discreta; se declararía arruinado, enfermo, vicioso, lo que quisiesen y le impusiesen; pero rompería la boda. ¡Ah, sí, la rompería!

Y subía la escalera del bonito palacete de los Valtierra, detenido a cada peldaño por una felicitación, un apretón de manos, una frase de amabilidad de los que acudían a admirar las vistas o se volvían habiéndolas admirado. Al pronto, Cayo no entendía; tardó en hacerse cargo del motivo de tantas enhorabuenas. Cuando acordó, sintió una especie de golpe allá dentro, parecido a brusco encontronazo con la realidad. ¡Las vistas! Sí; aquel día se enseñaban. ¿Tan pronto? ¡Sin duda se había adelantado la fecha! Nina decía la víspera, riendo:

—¡Quia! Ni en ocho días es posible que se exponga el trousseau. Falta una inmensidad de cosas. Solo por milagro...

El milagro estaba allí: el trousseau, completo, se exponía desde las tres de la tarde..., y eran las seis. Aturdido, Cayo penetró, siguiendo la corriente de los extraños, en el salón azul, y miró alrededor con género de curiosidad, como se mira lo que no nos afecta personalmente. Le asombró la cantidad, la calidad de lo expuesto, y esta idea, que el novio no formulaba, se encargó de expresarla en voz alta Perico Gonzalvo, el cual, tocándole familiarmente en el hombro a Cayo, dijo, con énfasis:

—¡Chico! ¡Menuda sangría al bolsillo de los papás!

Sí, todo aquello debía de haber costado mucho: una atrocidad de dinero. Aunque los hombres, oficialmente, no entienden de trapos, el hábito y el roce de la sociedad los convierte en expertos y casi en modistos. Telas, guarniciones, cintas, bordados, pieles, se les presentan con su valor, con su cifra al frente: son dinero gastado. ¡Vaya si se habían corrido en los preparativos de la boda! Nunca se acababa de ver preciosidades: los murmuraban con halagüeño y suave runrún las señoras que iban desfilando, echando por última vez los lentecitos de concha a los tableros cargados de magnificencias. Cayo sentía lo que siente, si es artista, el que va a destruir, a arrasar algo bello y suntuoso. Dos palabras de su boca, un «no quiero», y el soberbio trousseau queda inútil y perdido; materia explotable para las revendedoras. Esta preocupación aumentó al pasar al gabinete donde Nina, radiante, enseñaba a sus amigas regalos y alhajas. De los abiertos estuches, donde centelleaba la pedrería; de los reflejos lisos y fulgurantes de la plata; del sutil y elegante contorno de los abanicos abiertos, mostrando el incrustado varillaje y las artísticas pinturas del país; de los brazaletes que han de ceñir la muñeca; de las cadenas que han de rodear el cuello, se desprendía, se elevaba el concepto de algo definitivo, consumado, irreparable. Cayo pensaba oír cómo le decían los objetos: «Tonto, pero ¿tú crees que no te has casado ya? Reflexiona. Tanto como la bendición del cura, tanto como las fórmulas de la ley, y antes que todo ello, casamos nosotros. Las vistas son ya el matrimonio hecho y derecho; las cifras bordadas y entrelazadas de tu nombre y el de tu futura no permiten que separéis vuestros destinos. No sueñes con romper lo que unieron modistas, sastres, diamantistas y bordadoras. Te acordaste tarde. Eres marido, eres consorte; se han realizado tus nupcias.»

Y Cayo, pensativo, oprimido el corazón, hizo un movimiento de hombros, como quien dice: «Al agua», y, resuelto al consorcio, se acercó al grupo, donde Nina le sonreía lo mismo que acababa de sonreír a los demás.

Blanco y Negro, núm. 554, 1901.

Las caras

Al divisar, desde el tren, de bruces en la ventanilla, las torres barrocas de Santa María del Hinojo, bronceadas sobre el cielo de una rosa fluido, el corazón del viajero trepidó con violencia, sus manos se enfriaron. El tiempo transcurrido desapareció, y la sensibilidad juvenil resurgió impetuosa.

Eran las torres «únicas» de aquella «única» iglesia en que el sacristán la había permitido repicar las campanas, admirar los nidos de las cigüeñas emigradoras y cuya baranda había recorrido volando sobre el angosto pasamano, y mirando sin vértigo, con curiosidad agria, de mozalbete, el abismo hondo y luminoso de la plaza embaldosada, a cuarenta metros bajo sus pies.

Y también le emocionaba la plaza, con sus soportales y sus acacias de bola, y más allá, el jardín, donde era un esparcimiento arrancar plantas y robar flores, y las calles y callejas tortuosas, los esconces sombríos de las plazoletas, hasta las innobles estercoleras, secularmente deshonradoras de la tapia del Mercado, le poblaban el alma de gorjeadores recuerdos, todos dulces, porque, a distancia, contrariedades y regocijos se funden en armonías de saudades...

Seguido del granuja que llevaba la maleta, saltarineando a la coscojita los charcos menudos, el viajero apresuraba el paso, comiéndose con la vista los lugares, anticipando la impresión infinitamente más fuerte y honda de la primera cara conocida... Una de esas caras inconfundibles, distintas de las demás que andan por el mundo, ya que en ella hemos puesto lo íntimo de nuestro yo... Caras de compañeros de juegos y diabluras, caras de parientes formales y babodos que regalan juguetes y chupandinas, caras de maestros cuyas reprimendas y castigos son sonrisas para el adulto, caras de muchachas graciosas en quienes encarnaron los primeros ensueños, nada inmateriales, de la pubertad... Caras, caras... En algunas caras se resume toda vida de hombre.

Y el viajero, de antemano, saboreaba el esperado momento... Según avanzaba hacia el centro de la ciudad, cruzado el puente y transpuesto el barrio de las Fruterías, veía la supuesta, la fantaseada primera cara conocida que la casualidad iba a depararle, y que le iluminaba por dentro, como alumbra la Luna, embelleciéndolo, un páramo. Miraba afanoso a derecha e izquierda, a los balcones, a todo transeúnte, registraba los soportales, de siempre misteriosa penumbra... Los paletos devolvían con insolencia la ojeada; los burgueses, con curiosidad. Una muchacha se le rió en sus narices, provocándole. A la puerta de la posada detúvose el viajero para depositar su maleta de mano, y rehusando el desayuno que le ofrecían, interrogó al mozo:

—¿Sigue al frente de este parador don Saturio, el extremeño? ¿Uno gordo, cano él?

—No, señor... Esto es fonda..., y la dirige una bilbaína.

—Y don Saturio, ¿dónde anda?

—No le puedo decir al señor...

El viajero tomó aprisa el camino de la plaza grande, puerilmente orgulloso de saber atajar por callejas imposibles. ¡Si conocería él los andurriales del pueblo! Iba derecho al café de las Américas, el mejor. De muchacho, le costaba un triunfo y era una calaverada el pasar media horita en el café de las Américas. Como allí bailaban flamenco, sobre resonante estarivé, unas mozas pintorreadas, de ojos mazados por el vicio, los padres vedaban a sus hijos que aportasen por semejante perdedero... Y las caras revocadas de blanquete de las mozas —¡hacia dónde habrían rodado ellas!— hubiesen conmovido, en aquel punto, al viajero... ¡Sí; le hubiesen suscitado emoción pura, romántica!

Allí estaba, sin duda, el local, la puerta y el amplio escaparate..., pero el vidrio, que antes dejaba ver las cabezas de los parroquianos paladeando el negro brebaje, mostraba ahora filas de sombreros hongos colocados simétricamente, con el precio fijo en grandes cifras: «12'50; 7'95.» Al frente, el rótulo: La Última Moda. Sombrerería.

El viajero, desconcertado, siguió adelante, en busca de un café, que no podía faltar... Tuvo que dar la vuelta a media plaza, hasta encontrarlo, profuso en dorados, decorado con lunas altas y pinturas chillonas, que el humo del tabaco empezaba a amortiguar.

—La mesa más cerca del vidrio...

Y, desdeñoso del bol humeante, ensopando distraídamente la tostada embebida de rancia manteca, el viajero esperaba... Era domingo; las amigas campanas del Hinojo llamaban a misa; la gente no tenía más remedio que pasar por allí; avizoraría las caras, cuando desfilasen ante él...

Advirtió al mozo:

—Al retirar el servicio del café, tráigame una botella de Martel y una copa.

Sentía el cuerpo desazonado; la fría modorra de las noches de tren entumecía sus venas; el café y la tostada habían caído como plomo en su estómago dispéptico... Se acordaba de sus luchas, de tanto sudor y fatiga para juntar un peto que le permitiese morir descansadamente donde había nacido... La felicidad que se prometía estaba en aquel momento representada por las caras, las caras en que iba a revivir la esperanza, la frescura aterciopelada de los días en que la vida no pesa. Temblaba de contento al pensar en el goce inexplicable y positivo que causan unos rasgos fisonómicos —no los rasgos de una mujer adorada, ni los venerados del padre o de la madre, no—; los de varios rostros que, juntos, compendian la sugestión de la gran sirena del pasado, infinitamente divino...

Mientras él aguardaba, estremecido, pasaban ante el vidrio caras y caras, joviales, ceñudas, demacradas, rollizas; caras lampiñas y barbudas, caras inteligentes y bestiales; caras de señoritas cuajadas en un mohín de pudor pretencioso, caras de señoritos fumadores que sacan los labios en gesto de bravata y chunga... Y el viajero, dando cuerda a su energía a puros sorbos de coñac, no acababa de ver pasar, risueña, bucles al viento, su juventud, su propia juventud ensoñadora...

¡No conocía ninguna, ninguna de aquellas caras que iban desfilando hacia el pórtico de Santa María del Hinojo, donde hasta los angelotes del retablo y los rudos santos de las archivoltas le conocían a él!

Al fin le pareció... ¡Sí, era indudable: reconocía varias caras!... ¡Las reconocía... como se reconocen, en las lápidas borrosas por el tiempo e invadidas por musgos y líquenes, letras un tiempo clara y profundamente incisas por el cincel! Aquella señora obesa, que caminaba tan despacio, molestada por el peso de un embarazo tardío, era..., ¡Santo Dios!, la espiritual, la ingrávida Lucía Garcés..., su pareja de vals en los bailecillos del Casino... Aquel viejo de marchitas mejillas, de ojos amarillentos, de bigote azul a fuerza de tinte, no parecía sino Polvorosa, el tenorio alegre y varonil, el seductor de oficio de la ciudad... Aquella consumida anciana, de pelo gris, telarañoso, que llevaba de cada mano un chicarrón..., debía de ser, sin duda, la coqueta Antoñita Monluz, que arrojaba, desde su florida ventana, ramitas de romero a los muchachos. Y la que iba a su lado, conversando con ella... –¡Jesús! ¡Se concibe!–, era su antigua rival, su prima hermana Carmen Monluz, que la odiaba porque, a fuerza de lagoterías, mañas y tretas, Antoñita le había quitado un excelente novio... Recordaba el viajero perfectamente el gesto de odio, desprecio y desafío con que se miraban las dos primas cuando la casualidad las hacía encontrarse; las frases insultantes que se decían; las hablillas del pueblo, exaltado por la historia, hecho un hervidero de chismes... Y ahora, las rivales iban mano a mano, y cuando el grupo cruzó ante el café, el viajero escuchó que ambas mujeres departían sobre los precios de los alimentos, muy pacíficas, comadreando, lamentándose solo de la carestía...

El viajero sintió una angustia honda, una desolación de vacío, como si acabase de secársele dentro una raíz viva y fresca... No le importaría, en último caso, el inevitable variar de las caras; las caras son carne corruptible. Lo que le confundía, lo que le apretaba la garganta y el corazón, era otro cambio, el de lo que se adivina y se trasluce en una fisonomía; el cambio íntimo, el desaparecer, sin que dejase rastro ni huella, del alma que se desborda de los semblantes y les presta su valor y significación misteriosa, superior –¡él, por lo menos, lo había creído!– al tiempo, a los sucesos, al giro indiferente del planeta...

Abismado, el viajero fijó por casualidad la vista en el espejo que tenía enfrente. La sorpresa dilató sus ojos. Tampoco su cara dejaba trasmanar el alma de antaño. La expresión de la juventud, cándida, preguntadora, amorosa, no estaba allí. Si se buscaba a sí mismo –y de fijo se buscaba– en las caras ajenas, ¡mal hecho!, ¡trabajo perdido!, no podía encontrarse; ¡el yo de entonces no existía!

¡Qué dolor tan grande, tan sutil y refinado! Llevaba consigo un muerto, y acababa de averiguarlo, en hora crítica, por la confidencia de un turbio espejo de café.

Se levantó, pagó, y lentamente se encaminó hacia la fonda. Preguntó a qué hora salía el primer tren... A las doce; faltaban cuarenta minutos.

–¡A la estación! –gritó al mozo que empuñaba el asa de su maleta.

El Imparcial, 25 de junio de 1906.

Por dentro

Vistiendo el negro hábito de los Dolores, en el humilde ataúd –de los más baratos, según expresa voluntad de la difunta–, yacían los restos de la que tan hermosa fue en sus juventudes. La luz de los cuatro cirios caía amarillenta sobre el rostro de mármol, decorado con esa majestad peculiar de la muerte. Aquella calma de la envoltura corporal era signo cierto de la bienaventuranza del espíritu: así lo supuso María del Deseo, sobrina de la que descansaba con tan augusto reposo al asomarse a la puerta para contemplar por última vez el semblante de la Dolorosa.

Desde su niñez, oía repetir María del Deseo que la tía Rafaela era una santa. No de esas santas bobas, de brazos péndulos y cerebro adormido, sino activa, fuerte, luchadora. No se pasaba las mañanas acurrucada en la iglesia, sino que, oída su misa, emprendía las ascensiones a bohardillas malolientes, las correrías por barrios de miseria, las exploraciones por las comarcas salvajes del vicio y las suciedades suburbanas. Llevaba dinero, consejos, resoluciones para casos extremos y desesperados. Se sentaba a la cabecera de los enfermos, y mejor si el mal era infeccioso, repugnante y muy pegadizo. Y si encontraba a un enfermo de la voluntad, a un candidato al crimen..., entonces establecía cordial intimidad con el miserable, buscándole trabajo adecuado a su gusto y a su aptitud, distrayéndole, mimándole, hasta salvar y redimir su pobre alma ulcerada y doliente. Así la voz del pueblo, unísona con la de la familia, repetía esta afirmación: «¡Doña Rafaela Quirós, la Dolorosa, era una santa!»

La sobrina, recluida en el convento del Sagrado Corazón, donde se educaba con arreglo a su clase social, creía de un modo tierno y poético en la santidad de la hermana de su madre. Por charlas oídas a las doncellas primero, a las monjas después, sabía que doña Rafaela usaba, pegado a la carne, un rallo de hojalata, un cinturón de martirio; que se pasaba días enteros sin más alimento que un reseco mendrugo y un sorbo de agua pura. La imaginación de la niña se enfervorizaba, y al recordar la siempre arrogante figura de la Dolorosa, la veía despidiendo vaga claridad, luz que emitía el puro cuerpo mortificado y ennoblecido por la penitencia. ¡Ella sería como doña Rafaela, cuando pudiese, cuando mandase en sus acciones! Ella continuaría la hermosa leyenda... Y he aquí que, a los pocos días de haber vuelto María del Deseo a su casa, cumplidos los diecisiete años, doña Rafaela sucumbía a una enfermedad cardíaca, contraída de tanto subir y bajar escaleras de pobres, afirmaba el médico... Como el soldado que se desploma al pie de la bandera, al oscurecer de una jornada de combate, la santa caía vencida por su tarea sublime de consoladora —envidiable tránsito—. Por eso su cara tenía aquella expresión de paz, tan diferente de la angustia indefinible que la nublaba en vida...

¡Así quisiera estar, a la hora inevitable, María del Deseo! Ella seguiría las huellas de su buena tía doña Rafaela Quirós; pisaría el mismo camino de abrojos, que conduce al prado de bienandanza; sería otra Dolorosa. Y para confirmar su vocación, venía, a las altas horas, aprovechando el descuido de las criadas encargadas de velar, a recoger a hurto una reliquia, algo muy íntimo, muy personal, sobre el santo cuerpo. Para el latrocinio piadoso, María del Deseo había escondido unas tijeras de bordar en el bolsillo.

Trémula, fría, resuelta, se acercó al cadáver. El aroma funerario, semicorrompido, de las rosas que lo cubrían —nadie ignora qué olor peculiar contraen las flores colocadas sobre los muertos— sobrecogió a la niña. Sus tirantes nervios la sostuvieron, y fue derecha hacia la cabecera del ataúd. Como si tratase de cometer un crimen, atisbó alrededor para convencerse de que no la veía nadie. Dilatados los ojos, entrecortado el aliento, se decidió al fin a mirar atentamente la cara color de cera de la Dolorosa. En los labios cárdenos se había fijado una especie de sonrisa extraña. María apartó la vista del semblante en que el enigma de la muerte parecía amenazar y atraer a un tiempo, y valerosa y horrorizada, deslizó la mano por la abertura del hábito, buscando el escapulario que allí estaría, impregnado de la vitalidad y del sufrimiento de la santa. Su mano crispada tropezó con un objeto, metálico y redondo, pendiente de una cinta. La cortó con sus tijeras, se apoderó del objeto y lo miró a la luz de los cirios. No era medalla devota, sino medallón de oro: contenía una miniatura, rodeada de un aro de pelo negrísimo. El grito que iba a exhalar María del Deseo lo reprimió un instinto, una prudencia maquinal; su cuerpo se tambaleó; tuvo que reclinarse en el ataúd, porque un vértigo nublaba sus pupilas. La miniatura representaba a su padre, en el esplendor de la juventud, hermoso y arrogante, con cierto aire de reto, que había conservado hasta la madurez.

Sin embargo, nada concreto y positivo decía a la inocencia de María del Deseo hallazgo tan singular. Fue sorpresa, no espanto, lo que sintió. No buscó, al pronto, la explicación; algo recobrada del sobresalto, se bajó, recogió el medallón que se le había escapado de las manos, lo besó, lo guardó en el seno piadosamente, y arreglando las ropas de la difunta, se dispuso a arrodillarse y orar, cuando, en el umbral de la puerta, vio a su madre, de riguroso luto, llorosa, que venía, rosario al puño, a rezar y velar ella también, mientras no amanecía. Una idea cruzó por la imaginación de María del Deseo. ¡Qué idea! ¡Qué sugestión del demonio! ¡Qué relámpago! ¡Qué abismo! Un temblor de frío intenso la acompañaba... Se encaró la niña con la señora.

—¿Has perdido algo, mamá?

—¿Perder? ¿Por qué lo preguntas?

—¿No tenías tú un medallón..., el retrato de mi padre?

Precipitadamente, la señora se registró el pecho.

—Aquí está... ¡Qué susto me diste!

María del Deseo se acercó a los cirios otra vez, y consideró el medallón, tirando de la cadena de oro que lo sujetaba al cuello de su madre. Luego lo dejó caer, y sus dedos tocaron, en el propio seno, el bulto del otro idéntico medallón.

—Ese medallón tuyo..., ¿no tenía pelo? —articuló, balbuceando.

—No... Tu pobre padre nunca quiso... Decía que entre marido y mujer era ridículo... Y, además, como le habían salido canas... Pero ¿qué tienes? —exclamó, viendo vacilar a su hija—. ¿Te pones mala? Ve y acuéstate, criatura... Yo velaré... No te aflijas así. ¡Tu tía está en el cielo! ¡Era una santa! ¡Quién como ella!

María del Deseo no contestó. Cayó de rodillas y, escondiendo la cara entre las manos, rompió a llorar en silencio, a hilo, apretando los labios para que el pasado no saliese por allí —el siniestro pasado—, y sintiendo que en su corazón se derrumbaba algo inmenso, cuyas ruinas la envolvían y la aplastaban contra la tierra por una eternidad.

El Imparcial, 21 de enero de 1907.

La enfermera

El enfermo exhaló una queja tristísima, revolviéndose en su cama trabajosamente, y la esposa, que reposaba en un sofá, en el gabinete contiguo a la alcoba, se incorporó de un salto y corrió solícita a donde la llamaba su deber.

El cuadro era interesante. Ella, con rastro de hermosura marchita por las vigilias de la larga asistencia; morena, de negros ojos, rodeados de un halo oscuro, abrillantados por la excitación febril que la consumía –sosteniendo el cuerpo de él, ofreciéndole una cucharada de la poción que calmaba sus agudos dolores–. Escena de familia, revelación de afectos sagrados, de los que persisten cuando desaparecen el atractivo físico y la ilusión, cebo eterno de la naturaleza al mortal... Sin duda pensó él algo semejante a esto, que se le ocurriría a un espectador contemplando el grupo, y así que hubo absorbido la cucharada, buscó con su mano descarnada y temblorosa la de ella, y al encontrarla, la acercó a los labios, en un movimiento de conmovedora gratitud.

–¿Cómo te sientes ahora? –preguntó ella, arreglando las almohadas a suaves golpecitos.

–Mejor... Hace un instante, no podía más... ¿Cuándo crees tú que Dios se compadecerá de mí?

–No digas eso, Federico –murmuró, con ahínco, la enfermera.

–¡Bah! –insistió–. No te preocupes. Lo he oído con estos oídos. Te lo decía ayer el doctor, ahí a la puerta, cuando me creíais amodorrado. Con modorra se oye... Sí, me alegro. Juana mía. No me quites la única esperanza. Mientras más pronto se acabe este infierno... No, ¡perdón! Juana: me olvidaba de que a mi lado está un ángel... ¡Ah! ¡Pues si no fuera por ti!

Muy buena sería Juana, pero lo que es propiamente cara de ángel no la tenía. En su rostro se advertían, por el contrario, rasgos de cierta dureza, una crispación de las comisuras de los labios, algo sombrío en las precoces arrugas de la frente y, sobre todo, en la mirada. Federico se enterneció al considerar el estrago de aquella belleza de mujer destruida en la lucha con el horrible mal.

–Juana... –balbuceó–. Me siento ahora un poco tranquilo. Sin duda has forzado la dosis del calmante... No te sobresaltes. ¡Si te lo agradecería!

Escucha... Voy a aprovechar esta hora; tengo que decirte... Prométeme que me escucharás sin alterarte, Juana...

—Federico, no hables; no te fatigues —respondió ella—. No pienses más que en tu salud. Los asuntos, para después, cuando sanes del todo.

—¡Después! —repitió, meditabundo, el enfermo; y su mirada vaga, turbia, se fijó en un punto imaginario del espacio; lejos, lejos..., camino del después misterioso hacia donde le arrastraba implacable su destino—. Ahora —insistió—. Ahora o nunca, Juana. No me hará daño, créelo. Estoy seguro de que, al contrario, me hará bien. ¡Si tú sospechases lo que pesa en el corazón un secreto! ¡Si supieses cómo abruma eso de callar a todas horas!

—¿Un secreto? —contestó, como un eco, Juana, inmutándose.

—Por favor, querida..., no te alarmes ya, ni te alborotes luego, cuando te confiese... Prométeme que tendrás serenidad. Siéntate ahí; dame la mano. ¿No? ¡Como quieras!...

—¿Ves? Te cansas; déjalo, Federico —porfió Juana, agitada por imperceptible temblor, como si luchase consigo misma.

—Oye... Nadie mejor que yo conoce lo que me perjudica. Estoy cierto de que hasta para morir más resignado necesito espontanearme, acusarme... Juana, ahora no somos más que un pobre enfermo y la santa que le asiste. El último consuelo te pido; sé indulgente, dime por anticipado que me perdonarás.

—¡Te perdono... y calla, Federico! —profirió ella, sordamente, en tono colérico, a pesar suyo.

Él, realizando sobrehumano esfuerzo, se sentó en la cama, echando fuera el busto, inclinándose hacia su mujer en un transporte cariñoso y humilde. Era de esos enfermos afinados por el dolor, que dicen y hacen cosas tiernas y desgarradoras y se afanan en excitar los sentimientos de los que los rodean. La emoción profunda de Juana le animó; cruzando las manos con fervorosa súplica, rompió a hablar:

—Me perdonas, me perdonas... Es que no sabes; es que crees que se trata de alguna falta leve. Fue grave; soy muy culpable, y me atormenta pensar que te estoy robando no solo el tiempo y el trabajo que te cuesta cuidarme, sino otra cosa que vale más... Después que lo sepas, ¿me querrás todavía? ¿No me abandonarás, dejándome que muera como un perro?

Juana se puso en pie de un brinco. El temblor nervioso de su cuerpo se acentuaba. Su voz era ronca, oscura, fúnebre, cuando dijo con aparente irónica frialdad:

—Ahórrate el trabajo de confesar. Estoy tan enterada casi como tú mismo.

El enfermo, sobrecogido, se dejó caer sobre la almohada. Sus pupilas se vidriaron sin humedecerse; era el llanto seco, por decirlo así, de los organismos agotados.

—¡Estabas enterada!

—Pues ¿qué creías? —repuso ella, lívida, apretando los dientes, apuñalándole con los ojos.

Federico se cubrió el rostro, aterrado. Acababa de desmoronársele dentro lo único que le sostenía. Creía en el amor de su enfermera; alentaba aún, gracias a tal convicción, y he aquí que las inflexiones de la voz, el gesto, la actitud de Juana acababan de arrebatarle, de súbito, esa divina creencia. El odio se había transparentado en ellos tan sin rebozo, tan impetuoso en su revelación impensada, que la aguda sensación del peligro —del peligro latente, mal definido, acechador— suprimió en aquel instante la noción del remordimiento y atajó la confesión en la garganta.

—Juana —suspiró—, ven, oye... Mira que no hubo nada. ¡Lo que iba a contarte eran unas tonterías!...

Ella se acercó. En los carbones por donde miraba brillaban ascuas: su ceño se fruncía trágicamente; las alas de su nariz palpitaban de furor. Nunca la había visto Federico así, y, sin embargo, era una expresión que se adaptaba bien al carácter de su fisonomía o, mejor dicho, patentizaba su fisonomía verdadera. El terror del enfermo paralizó hasta su lengua. Por instinto pueril, quiso ocultarse bajo la sábana.

—No te escondas —articuló ella, despreciativamente, pisoteándole con el acento—. Mira que si te veo tan miedoso, me re-i-ré de ti. ¿Comprendes? Me re-i-ré. ¡Y es lo único que le faltaba a mi venganza para consumarse! ¡Reír! ¡La risa! ¡Oh! ¡Cómo te aborrezco! Ya no callo más...

Federico la miraba extraviado, loco. ¿Tendría pesadilla? ¿Era ya la muerte, la fea muerte, la condenación, el castigo de ultratumba? ¿Era la forma que tomaba, para torturarle, su conciencia de pecador?

—¡Juana! —tartamudeó—. ¿Estoy soñando? ¿Venganza? ¿Me aborreces?

Ella se aproximó más; acercó su boca a la cara de Federico, y como filtrándole las palabras al través de la piel, repitió:

—Te aborrezco. Me creíste oveja. Soy fiera, fiera; oveja, no. Me ofendiste, me vendiste, me ultrajaste, torturaste mi alma, me enloqueciste, me alimentaste con ajenjo y con hiel, ¡y ni aun te tomaste el trabajo de reconocer que mi juventud se marchitaba y se ajaba mi hermosura y se torcía mi alma, antes confiada y generosa! Y cuando te sentiste herido de muerte, de muerte, sí, y pronta; ¡lo has acertado!..., entonces me llamaste: «Juana, a servirme de enfermera... Juana, a darme la poción...»

—¡Y lo hiciste de un modo sublime, Juana! —sollozó él—. ¡Y fuiste una mártir a mi cabecera! ¡No lo niegues, querida mía! ¡Perdóname!

Juana soltó la carcajada. Era su reír un acceso nervioso; asemejábase a una convulsión, que retorcía sus fibras.

—¡Sí que lo hice! —repitió por fin, dominándose con energía tremenda—. ¡Sí que lo hice! ¡Vaya si te di la poción! Cada día te di la poción..., ¡que más daño te hiciese! ¡Aquélla, y no otra! ¡Ah! ¿No lo sospechabas? ¡Tú sí que has sido engañado! ¡Tú, sí! ¡Tú, sí!

Oyéronse toquecitos en la puerta. La voz respetuosa de un criado anunció:

—El señor doctor.

Y entró el joven médico, guanteado, afeitado, afable, preguntando desde el umbral:

—¿Cómo sigue el enfermo? ¿Y la incomparable enfermera?

Blanco y Negro, núm.. 664, 1903.

La reja

Sor Casilda alzó el pálido rostro, que sonrosaba una emoción repentina, y contestó a la tornera:

—Voy, voy ahora mismo.

La llamaban a la reja baja; estaba allí su primo Luis —casi su hermano—, que deseaba verla; era el generoso bienhechor del convento, el que no hacía dos meses había contribuido espléndidamente para reparar la torre de la iglesia, que amenazaba ruina, y las contadas veces que venía a hablar con sor Casilda, se les permitía que conversasen sin tasa de tiempo ni vigilancia de oído.

Él esperaba ya en el locutorio, salita limpia, esterada, enjalbegada, amueblada con bancos de madera, sillas de paja y dos fraileros. Era allí casi tangible el silencio, el recogimiento casi palpable; la celosía amortiguaba la luz solar; ningún ruido venía de la desierta calleja toledana, y los cuadros oscuros, bituminosos, de negro marco, aumentaban la impresión de melancolía, como de indiferencia hacia la vida, que infundía aquel lugar.

Luis, desplomado en uno de los dos amplios sillones de vaqueta, puestos los codos en los descansaderos, dejaba colgar un brazo, y en la palma de la mano del otro reclinaba la frente. En esta misma actitud de cansera dolorosa estaba cuando, a paso quedo, la monja avanzó, y al detenerse pronunció un ¡chis! suave.

—¿Qué es eso, primo? ¿Estás malo? —articuló sor Casilda.

Luis había vuelto el rostro en dirección de la reja, y la monja le consideraba con susto; tal le hallaba de desencajado, los ojos asombrados y fijos, la boca contraída, negros y resecos de calentura los labios, el aliento que de ellos salía, impuro y fétido como la exhalación que se levanta de revuelto pantano en horas de tormenta.

—Malo, no —respondió Luis—. No tengo nada de lo que se dice enfermedad. Lo que tengo es pena..., ¿oyes?, pena horrible. Estoy en una de esas horas que hay..., ¡horas negras!..., y vengo a que alguien me muestre un poco de cariño, porque ¡me hace tanta falta!..

La monja se estremeció. Escuchaba con sencillo agrado la voz de Luis cuando hablaba de cosas indiferentes; pero, a poco que el sentimiento la timbrase, recordaba con punzante intensidad que era la misma voz, la única que había derramado en su oído inolvidables conceptos... Por rápido y soso que hubiese sido el noviazgo; por pronto que se hubiese convertido en fraternidad, sor Casilda guardaba allá dentro, invisible, una herida..., herida dulce, cruel, sin cesar ofrecida a Dios, solo por él curada, cerrada nunca. Para que la herida no le doliese tanto, Casilda había buscado en el convento ese bálsamo pasado de moda, eternamente eficaz, del aislamiento, de la muerte parcial, del renunciar y del obedecer. No fue misticismo; fue más bien una especie de filosofía humana, instintiva, la que aconsejó a la niña que ocultase sus formas en el hábito de ruda estameña y cubriese su cabeza con la toca. Como tantas almas enfermas y exhaustas, buscó el reposo, única dicha de los que irremisiblemente pierden las esperanzas terrenas. Casi se hubiese sentido feliz en el convento si ignorase la situación de Luis, su historia privada. Pero la conocía. ¿Cómo? ¿Por referencias de quién? Ahí está lo que no acertaría a explicar de un modo concreto; pero sabía, sabía; todo había llegado hasta ella, cual llega penetrante olor de flores malditas salvando rejas y muros. Las reclusas están más al corriente de lo que se cree de cuanto en el mundo ocurre, no por relatos circunstanciados, sino por indicaciones expresivas. Un movimiento de cejas, un entornar de ojos, se interpretan en el claustro; la imaginación de la encerrada hace lo demás. Los gestos y las medias palabras referentes a Luis se traducían para sor Casilda de esta suerte: «En pecado. Por consecuencia, en más tribulación y tormentos que alegría.» Y rezaba, rezaba, con un ímpetu de esos que llegan al más allá misterioso. ¡Que Luis, algún día, se arrepintiese y se salvase!, aunque a ella le fuesen cerradas las puertas divinas, tras de las cuales no hay mentiras, ni tristezas, ni miserias, ni culpas... Y ahora que le veía indudablemente en el primer peldaño de la escala del arrepentimiento, bajo la impresión de una catástrofe moral de las que en un instante inmutan la conciencia, sor Casilda, en vez de complacencia, sentía una piedad infinita, inmensa, arrasadora, que derretía su corazón y conmovía sus entrañas: algo muy trágico, muy hermoso y muy fuerte, que la arrebataba y la trastornaba, haciéndole olvidar en un minuto los propósitos y las aspiraciones de tantos años...

Con la violencia del impulso de empujarlos, los hierros de la reja se incrustaban en su cuerpo enflaquecido y lastimaban sus afiladas y descoloridas manos, que pugnaban por alcanzar, al través de ellos, a Luis. El cual, ahora, sollozaba muy bajo, quejándose como se quejan los niños cuando están enfermos y no saben explicar su mal a las madres. La monja repetía, suplicante:

—Pero cuéntame... Pero di, Luis; di, por Dios... Desahoga, desahoga...

—¡No puedo! —gimió él, abrumado por lo inútil, por lo estéril de su agonía—. Casilda, no puedo. Tengo, ¿ves?, una argolla de garrote en la garganta y noto vértigo en la cabeza. ¡Esa reja baila!... ¡Tú también! Es raro, ¿verdad?, que un hombre, un hombre que no es un necio ni un cobarde, se ponga así por..., por una..., ¡por una infamia de mujer! Mira, estoy loco, Casilda; si digo algún disparate, perdónamelo. ¡Dichosa tú, que has logrado vivir lejos de estos combates! ¡Si supieses cuánto se sufre! No, ni lo sospechas. Reza por mí... para que me muera pronto, ¿entiendes, hija mía? No vayas a equivocar la oración y solicites largo plazo a mi existir... ¡Casilda, Casilda! Tú me has querido bien. ¡Compadécete de mí! ¡Que alguien me compadezca!

Ahora sí que la reja bailaba, mejor dicho, trepidaba como si fuese a desprenderse del rudo marco de piedra donde sólidamente la fijaban emplomaduras enormes. La monja, rabiosamente, con el peso de su débil cuerpo y el escaso vigor de sus bracillos de anémica y sedentaria, pretendía arrancar el primer enrejado... Luis vio el sublime e insensato movimiento y lo agradeció con una mirada más dolorosa que las palabras. Sor Casilda redobló sus esfuerzos. Jadeaba; resollaba hondo y congojoso, como el leñador cuando descarga el hacha; se estropeaba los dedos, se deshacía las muñecas, y repetía, en su afán:

—¡Luis! ¡Luis! Ayúdame... Quiero salir. Ayúdame; rompámosla...

Luis se encogió de hombros. Aquella locura de su pobre prima le traía a él, por contraste y comparación, a la realidad. ¡Romper una reja así! Y cuando por caso imposible la rompiese, ¿no era doble la reja? ¿No tendrían que arrancar la segunda, erizada de picos de hierro? Aquella reja era el propio destino de la monja; y el suyo, el de Luis, aquel dolor desesperado e incurable, que arrastraría siempre consigo. Se levantó, y acercando el lívido rostro a un claro de la reja, murmuró:

—Casilda..., déjalo... No puedes, Casilda. No podemos. Y si pudiésemos..., ¿para qué? Es inútil. Todo es inútil en el mundo. Tu compasión... y basta...

Blanco y Negro, núm. 642, 1903.

El revólver

En un acceso de confianza, de esos que provoca la familiaridad y convivencia de los balnearios, la enferma del corazón me refirió su mal, con todos los detalles de sofocaciones, violentas palpitaciones, vértigos, síncopes, colapsos, en que se ve llegar la última hora... Mientras hablaba, la miraba yo atentamente. Era una mujer como de treinta y cinco a treinta y seis años, estropeada por el padecimiento; al menos tal creí, aunque, prolongado el examen, empecé a suponer que hubiese algo más allá de lo físico en su ruina. Hablaba y se expresaba, en efecto, como quien ha sufrido mucho, y yo sé que los males del cuerpo, generalmente, cuando no son de inminente gravedad, no bastan para producir ese marasmo, ese radical abatimiento. Y notando cómo las anchas hojas de los plátanos, tocadas de carmín por la mano artística del otoño, caían a tierra majestuosamente y quedaban extendidas cual manos cortadas, le hice observar, para arrancar confidencias, lo pasajero de todo, la melancolía del tránsito de las cosas...

—Nada es nada —me contestó, comprendiendo instantáneamente que, no una curiosidad, sino una compasión, llamaba a las puertas de su espíritu—. Nada es nada..., a no ser que nosotros mismos convirtamos ese nada en algo. Ojalá lo viésemos todo, siempre, con el sentimiento ligero, aunque triste, que nos produce la caída de ese follaje sobre la arena.

El encendimiento enfermo de sus mejillas se avivó, y entonces me di cuenta de que habría sido muy hermosa, aunque estuviese su hermosura borrada y barrida, lo mismo que las tintas de un cuadro fino, al cual se le pasa el algodón impregnado de alcohol. Su pelo rubio y sedeño mostraba rastros de ceniza, canas precoces... Sus facciones habíanse marchitado; la tez, sobre todo, revelaba esas alteraciones de la sangre que son envenenamientos lentos, descomposiciones del organismo. Los ojos, de un azul amante, con vetas negras, debieron de atraer en otro tiempo; pero ahora, los afeaba algo peor que los años: una especie de extravío, que por momentos les prestaba relucir de locura.

Callábamos; pero mi modo de contemplarla decía tan expresivamente mi piedad, que ella, suspirando por ensanchar un poco el siempre oprimido pecho, se decidió, y no sin detenerse de vez en cuando a respirar y rehacerse, me contó la extraña historia.

—Me casé muy enamorada... Mi marido era entrado en edad respecto a mí; frisaba en los cuarenta, y yo solo contaba diecinueve. Mi genio era alegre, animadísimo; conservaba carácter de chiquilla, y los momentos en que él no estaba en casa, los dedicaba a cantar, a tocar el piano, a charlar y reír con las amigas que venían a verme y que me envidiaban la felicidad, la boda lucida, el esposo apasionado y la brillante situación social.

Duró esto un año —el año delicioso de la Luna de miel—. Al volver la primavera, el aniversario de nuestro casamiento, empecé a notar que el carácter de Reinaldo cambiaba. Su humor era sombrío muchas veces, y sin que yo adivinase el porqué, me hablaba duramente, tenía accesos de enojo. No tardé, sin embargo, en comprender el origen de su transformación: en Reinaldo se habían desarrollado los celos, unos celos violentos, irrazonados, sin objeto ni causa, y, por lo mismo, doblemente crueles y difíciles de curar.

Si salíamos juntos, se celaba de que la gente me mirase o me dijese, al paso, cualquier tontería de estas que se les dicen a las mujeres jóvenes; si salía él solo, se celaba de lo que yo quedase haciendo en casa, de las personas que venían a verme; si salía sola yo, los recelos, las suposiciones eran todavía más infamantes...

Si le proponía, suplicando, que nos quedásemos en casa juntos, se celaba de mi semblante entristecido, de mi supuesto aburrimiento, de mi labor, de un instante en que, pasando frente a la ventana, me ocurría esparcir la vista hacia fuera... Se celaba, sobre todo, al percibir que mi genio de pájaro, mi buen humor de chiquilla, habían desaparecido, y que muchas tardes, al encender luz, se veía brillar sobre mi tez el rastro húmedo y ardiente del llanto. Privada de mis inocentes distracciones; separada ya de mis amigas, de mi parentela, de mi propia familia, porque Reinaldo interpretaba como ardides de traición el deseo de comunicarme y mirar otras caras que la suya, yo lloraba a menudo, y no correspondía a los transportes de pasión de Reinaldo con el dulce abandono de los primeros tiempos.

Cierto día, después de una de las amargas escenas de costumbre, mi marido me advirtió:

—Flora, yo podré ser un loco, pero no soy un necio. Me ha enajenado tu cariño, y aunque tal vez tú no hubieses pensado en engañarme, en lo sucesivo, sin poderlo remediar, pensarías. Ya nunca más seré para ti el amor. Las golondrinas que se fueron no vuelven. Pero como yo te quiero, por desgracia, más cada día, y te quiero sin tranquilidad, con ansia y fiebre, te advierto que he pensado el modo de que no haya entre nosotros ni cuestiones, ni quimeras, ni lágrimas, y una vez por todas sepas cuál va a ser nuestro porvenir.

Hablando así, me cogió del brazo y me llevó hacia la alcoba.

Yo iba temblando; presentimientos crueles me helaban. Reinaldo abrió el cajón del mueblecito incrustado donde guardaba el tabaco, el reloj, pañuelos, y me enseñó un revólver grande, un arma siniestra.

—Aquí tienes —me dijo— la garantía de que tu vida va a ser en lo sucesivo tranquila y dulce. No volveré a exigirte cuentas ni de cómo empleas tu tiempo, ni de tus amistades, ni de tus distracciones. Libre eres, como el aire libre. Pero el día que yo note algo que me hiera en el alma..., ese día, ¡por mi madre te lo juro!, sin quejas, sin escenas, sin la menor señal de que estoy disgustado, ¡ah, eso no!, me levanto de noche calladamente, cojo el arma, te la aplico a la sien y te despiertas en la eternidad. Ya estás avisada...

Lo que yo estaba era desmayada, sin conocimiento. Fue preciso llamar al médico, por lo que duraba el síncope. Cuando recobré el sentido y recordé, sobrevino la convulsión. Hay que advertir que les tengo un miedo cerval a las armas de fuego; de un casual disparo murió un hermanito mío. Mis ojos, con fijeza alocada, no se apartaban del cajón del mueble que encerraba el revólver.

No podía yo dudar, por el tono y el gesto de Reinaldo, que estaba dispuesto a ejecutar su amenaza, y como, además, sabía la facilidad con que se ofuscaba su imaginación, empecé a darme por muerta. En efecto, Reinaldo, cumpliendo su promesa, me dejaba completamente dueña de mí, sin dirigirme la menor censura, sin mostrar ni en el gesto que se opusiese a ninguno de mis deseos o desaprobase mis actos; pero esto mismo me espantaba, porque indicaba la fuerza y la tirantez de una voluntad que descansa en una resolución..., y víctima de un terror cada día más hondo, permanecía inmóvil, no atreviéndome a dar un paso. Siempre veía el reflejo de acero del cañón del revólver.

De noche, el insomnio me tenía con los ojos abiertos, creyendo percibir sobre la sien el metálico frío de un círculo de hierro; o, si conciliaba el sueño, despertaba sobresaltada, con palpitaciones en que parecía que el corazón iba a salírseme del pecho, porque soñaba que un estampido atroz me deshacía los huesos del cráneo y me volaba el cerebro, estrellándolo contra la pared... Y esto duró cuatro años, cuatro años en que no tuve minuto tranquilo, en que no di un paso sin recelar que ese paso provocase la tragedia.

—Y ¿cómo terminó esa situación tan horrible? —pregunté, para abreviar, porque la veía asfixiarse.

—Terminó... con Reinaldo, que fue despedido por un caballo y se rompió algo dentro, quedando allí mismo difunto. Entonces, solo entonces, comprendí que le quería aún, y le lloré muy de veras, ¡aunque fue mi verdugo, y verdugo sistemático!

—¿Y recogió usted el revólver para tirarlo por la ventana?

—Verá usted —murmuró ella—. Sucedió una cosa... bastante singular. Mandé al criado de Reinaldo que quitase de mi habitación el revólver, porque yo continuaba viendo en sueños el disparo y sintiendo el frío sobre la sien... Y después de cumplir la orden, el criado vino a decirme:

—Señorita, no había por qué tener miedo... Ese revólver no estaba cargado.

—¿Que no estaba cargado?

—No señora; ni me parece que lo ha estado nunca... Como que el pobre señorito ni llegó a comprar las cápsulas. Si hasta le pregunté, a veces, si quería que me pasase por casa del armero y las trajese, y no me respondió, y luego no se volvió a hablar más del asunto...

—De modo —añadió la cardíaca— que un revólver sin carga me pegó el tiro, no en la cabeza, sino en mitad del corazón, y crea usted que, a pesar del digital y baños y todos los remedios, la bala no perdona...

El Imparcial, 27 de febrero de 1895.

El gemelo

La condesa de Noroña, al recibir y leer la apremiante esquela de invitación, hizo un movimiento de contrariedad. ¡Tanto tiempo que no asistía a las fiestas! Desde la muerte de su esposo: dos años y medio, entre luto y alivio. Parte por tristeza verdadera, parte por comodidad, se había habituado a no salir de noche, a recogerse temprano, a no vestirse y a prescindir del mundo y sus pompas, concentrándose en el amor maternal, en Diego, su adorado hijo único. Sin embargo, no hay regla sin excepción: se trataba de la boda de Carlota, la sobrina predilecta, la ahijada... No cabía negarse.

«Y lo peor es que han adelantado el día —pensó—. Se casan el dieciséis... Estamos a diez... Veremos si mañana Pastiche me saca de este apuro. En una semana bien puede armar sobre raso gris o violeta mis encajes. Yo no exijo muchos perifollos. Con los encajes y mis joyas...»

Tocó un golpe en el timbre y, pasados algunos minutos, acudió la doncella.

—¿Qué estabas haciendo? —preguntó la condesa, impaciente.

—Ayudaba a Gregorio a buscar una cosa que se le ha perdido al señorito.

—Y ¿qué cosa es esa?

—Un gemelo de los puños. Uno de los de granate que la señora condesa le regaló hace un mes.

—¡Válgame Dios! ¡Qué chicos! ¡Perder ya ese gemelo, tan precioso y tan original como era! No los hay así en Madrid. ¡Bueno! Ya seguiréis buscando; ahora tráete del armario mayor mis Chantillíes, los volantes y la berta. No sé en qué estante los habré colocado. Registra.

La sirvienta obedeció, no sin hacer a su vez ese involuntario mohín de sorpresa que producen en los criados ya antiguos en las casas las órdenes inesperadas que indican variación en el género de vida. Al retirarse la doncella la dama pasó al amplio dormitorio y tomó de su secrétaire un llavero, de llaves menudas; se dirigió a otro mueble, un escritorio-cómoda Imperio, de esos que al bajar la tapa forman mesa y tienen dentro sólida cajonería, y lo abrió, diciendo entre sí:

«Suerte que las he retirado del Banco este invierno... Ya me temía que saltase algún compromiso.»

Al introducir la llavecita en uno de los cajones, notó con extrañeza que estaba abierto.

—¿Es posible que yo lo dejase así? —murmuró, casi en voz alta.

Era el primer cajón de la izquierda. La condesa creía haber colocado en él su gran rama de eglantinas de diamantes. Solo encerraba chucherías sin valor, un par de relojes de esmalte, papeles de seda arrugados. La señora, desazonada, turbada, pasó a reconocer los restantes cajones. Abiertos estaban todos; dos de ellos astillados y destrozada la cerradura. Las manos de la dama temblaban; frío sudor humedecía sus sienes. Ya no cabía duda; faltaban de allí todas las joyas, las hereditarias y las nupciales. Rama de diamantes, sartas de perlas, collar de chatones, broche de rubíes y diamantes... ¡Robada! ¡Robada!

Una impresión extraña, conocida de cuantos se han visto en caso análogo, dominó a la condesa. Por un instante dudó de su memoria, dudó de la existencia real de los objetos que no veía. Inmediatamente se le impuso el recuerdo preciso, categórico. ¡Si hasta tenía presente que al envolver en papeles de seda y algodones en rama el broche de rubíes, había advertido que parecía sucio, y que era necesario llevarlo al joyero a que lo limpiase! «Pues el mueble estaba bien cerrado por fuera —calculó la señora, en cuyo espíritu se iniciaba ese trabajo de indagatoria que hasta sin querer verificamos ante un delito—. Ladrón de casa. Alguien que entra aquí con libertad a cualquier hora; que aprovecha un descuido mío para apoderarse de mis llaves; que puede pasarse aquí un rato probándolas... Alguien que sabe como yo misma el sitio en que guardo mis joyas, su valor, mi costumbre de no usarlas en estos últimos años.»

Como rayos de luz dispersos que se reúnen y forman intenso foco, estas observaciones confluyeron en un nombre:

—¡Lucía!

¡Era ella! No podía ser nadie más. Las sugestiones de la duda y del bien pensar no contrarrestaban la abrumadora evidencia. Cierto que Lucía llevaba en la casa ocho años de excelente servicio. Hija de honrados arrendadores de la condesa; criada a la sombra de la familia de Noroña, probada estaba su lealtad por asistencia en enfermedades graves de los amos, en que había pasado semanas enteras sin acostarse, velando, entregando su juventud y su salud con la generosidad fácil de la gente humilde. «Pero –discurría la condesa– cabe ser muy leal, muy dócil, hasta desinteresado..., y ceder un día a la tentación de la codicia, dominadora de los demás instintos. Por algo hay en el mundo llaves, cerrojos, cofres recios; por algo se vigila siempre al pobre cuando la casualidad o las circunstancias le ponen en contacto con los tesoros del rico...» En el cerebro de la condesa, bajo la fuerte impresión del descubrimiento, la imagen de Lucía se transformaba –fenómeno psíquico de los más curiosos–. Borrábanse los rasgos de la criatura buena, sencilla, llena de abnegación, y aparecía una mujer artera, astuta, codiciosa, que aguardaba, acorazada de hipocresía, el momento de extender sus largas uñas y arramblar con cuanto existía en el guardajoyas de su ama...

«Por eso se sobresaltó la bribona cuando le mandé traer los encajes –pensó la señora, obedeciendo al instinto humano de explicar en el sentido de la preocupación dominante cualquier hecho–. Temió que al necesitar los encajes necesitase las joyas también. ¡Ya, ya! Espera, que tendrás tu merecido. No quiero ponerme con ella en dimes y diretes: si la veo llorar, es fácil que me entre lástima, y si le doy tiempo a pedirme perdón, puedo cometer la tontería de otorgárselo. Antes que se me pase la indignación, el parte.»

La dama, trémula, furiosa, sobre la misma tabla de la cómoda-escritorio trazó con lápiz algunas palabras en una tarjeta, le puso sobre y dirección, hirió el timbre dos veces, y cuando Gregorio, el ayuda de cámara, apareció en la puerta, se la entregó.

–Esto, a la Delegación, ahora mismo.

Sola otra vez, la condesa volvió a fijarse en los cajones.

«Tiene fuerza la ladrona –pensó, al ver los dos que habían sido abiertos violentamente–. Sin duda, en la prisa, no acertó con la llavecita propia de cada uno, y los forzó. Como yo salgo tan poco de casa y me paso la vida en ese gabinete...»

Al sentir los pasos de Lucía que se acercaba, la indignación de la condesa precipitó el curso de su sangre, que dio, como suele decirse, un vuelco. Entró la muchacha trayendo una caja chata de cartón.

–Trabajo me ha costado hallarlos, señora. Estaban en lo más alto, entre las colchas de raso y las mantillas.

La señora no respondió al pronto. Respiraba para que su voz no saliese de la garganta demasiado alterada y ronca. En la boca revolvía hieles; en la lengua le hormigueaban insultos. Tenía impulsos de coger por un brazo a la sirvienta y arrojarla contra la pared. Si le hubiesen quitado el dinero que las joyas valían, no sentiría tanta cólera; pero es que eran joyas de familia, el esplendor y el decoro de la estirpe..., y el tocarlas, un atentado, un ultraje...

Se domina la voz, se sujeta la lengua, se inmovilizan las manos...; los ojos, no. La mirada de la condesa buscó, terrible y acusadora, la de Lucía, y la encontró fija, como hipnotizada, en el mueble-escritorio, abierto aún, con los cajones fuera. En tono de asombro, de asombro alegre, impremeditado, la doncella exclamó, acercándose:

–¡Señora! ¡Señora! Ahí..., en ese cajoncito del escritorio... ¡El gemelo que faltaba! ¡El gemelo del señorito Diego!

La condesa abrió la boca, extendió los brazos, comprendió... sin comprender. Y, rígida, de golpe, cayó hacia atrás, perdido el conocimiento, casi roto el corazón.

El Imparcial, 20 de julio de 1903.

Abajo De un nido

Teniendo que ir a Madrid para la gestión de un asunto importante, de esos en que se atraviesan intereses considerables y que obligan a pasarse meses limpiando el polvo a los bancos de las antesalas con los fondillos del pantalón, me informé de una casa de huéspedes barata, y en ella me acomodé en una sala «decente», con vistas a la calle de Preciados.

Intentaron los compañeros de mesa redonda que se estableciese entre nosotros esa familiaridad de mal gusto, ese tiroteo de bromas y disputas que suele degenerar en verdadera importunidad o en grosería franca. Yo me metí en la concha. El único huésped que demostraba reserva era un muchacho como de unos veinticuatro años, muy taciturno, que se llamaba Demetrio Lasús. Llegaba siempre tarde a la mesa, se retiraba temprano, comía poco, de través; bebía agua, respondía con buena educación, pero no buscaba la cháchara ni aparecía jamás preguntón ni entrometido, y estas cualidades me infundieron simpatía.

Solo yo en una ciudad donde no conocía a nadie; separado de la familia, a la cual siempre he sido apegadísimo, mis necesidades afectivas se revelaron en el cariño que cobré a aquel mozo apenas le vi espontanearse y logré que entrase en mi cuarto, contiguo al suyo, dos o tres veces para aceptar un café que yo hacía en maquinilla. Me contó su historia: aspiraba a un destino, se lo tenían ofrecido, pero era preciso armarse de paciencia. Mi olfato me dijo que la historia no estaba completa, y que detrás de aquellas revelaciones quedaba mucho que saber; pero discretamente me di por contento y ofrecí servicios. Dinero, no, y lo sentía; que a ser rico, a no tener cinco hijos, el mayor de diez años, creo que me despojo de mi caudal para remediar la situación, asaz apurada, de Demetrio...

Detrás de la juventud suponemos el amor, y para el amor tenemos indulgencias y condescendencias infinitas. Yo creía a Demetrio enamorado y pendiente, para realizar su felicidad, del consabido destino. Así me explicaba la preocupación del mozo, sus desapariciones, los aspectos misteriosos de su vivir, su desgana, su color quebrado y macilento. Adelantándome a la confidencia, di lo del amor por hecho, y con tal seguridad lo afirmé, que Demetrio vino a declarar que sí, que estaba enamorado hasta los tuétanos, y en cuanto pudiese casarse...

Manifesté deseo pueril de conocer a la novia; me prometió llevarme a verla asomada al balcón; me enseñó, en efecto, a una preciosa muchacha, rubia como unas candelas, blanca, esbelta, elegantísima, de pechos en un segundo piso de la calle próxima, y como yo extrañase que la niña no nos echase una ojeada siquiera, Demetrio sonrió y dijo:

—¡Ah! En viéndome acompañado... Es lo más delicada, lo más susceptible... Si supiese que está usted enterado..., reñimos, de seguro.

Desde entonces le hablé constantemente de la rubia, la puse en las nubes, alabé sus encantos...; en fin, de tal manera me interesé por la vida íntima de Demetrio, que me sucedía de noche soñar con ella, y de día pasar por la calle donde la rubia se asomaba al balcón, mirándola disimuladamente, como se mira lo que nos importa. ¿Lo he de confesar todo? Apartado de los míos, sucedíame por momentos olvidarme de que existían, borrárseme entre neblina los contornos de la realidad. Aturdido por tantos pasos y vueltas como tiene que dar un solicitante; cansado y rendido de andar de ceca en meca y ver rostros indiferentes o altaneros, el único reposo y la única satisfacción era la que encontraba en interesarme por mi joven vecino. Una puerta comunicaba su habitación con la mía; descorrí el cerrojo, y de día y de noche hablábamos, nos acompañábamos y nos prestábamos pequeños servicios. El tintero, el jabón, los peines, eran bienes comunes. Viendo a Demetrio salir a cuerpo un día frío, le propuse mi capa. Yo me arreglaría con el gabán...

Ahora que recapacito y pienso en aquel extraño episodio, comprendo que todo fue culpa de la soledad y el aislamiento, que ejercen una acción excitadora y depresiva alternativamente sobre el hombre habituado a la blanda y enervante atmósfera del hogar. Yo no podía vivir sin la comunicación de los seres de mi especie: padecía la mala enfermedad, tan peligrosa para el hombre, de necesitar del hombre (como si cada uno de nosotros no llevase en sí una fuerza propia e incomunicable, una suma de alegría y de dolor que nadie puede acrecer ni aminorar...). Hoy conozco que, por mucha gente que nos rodee, vivimos solos siempre, hasta cuando nos creemos cercados de pedazos de nuestra alma y de retoños de nuestra sangre. Y esta convicción, manzana del árbol de la ciencia —amarga manzana—, fue para mí fruto de la aventura que voy relatando, porque cuando regresé a mi casa en busca de amor y consuelo, encontré en ella el menosprecio y la cólera mal disimulada, y estuve en ridículo entre los míos, que hablaron de mí con esos meneos de cabeza reveladores de un concepto de inferioridad y lástima indignada...

Volviendo a Demetrio Lasús, tanto fue estrechándose nuestra amistad, que le confié mis esperanzas todas. No le oculté que, empopado ya el asunto que en Madrid me detenía, iba a recibir una suma, plazo primero y mayor de la contrata. El día en que la suma llegó a mi poder, Lasús vio cómo la guardaba en mi baulillo —las llaves de las fondas no ofrecen seguridad—, y cuando tuve que salir, dije a mi amigo:

—Voy sin cuidado, porque usted no piensa moverse de casa.

—Vaya usted tranquilo —me respondió.

Y, en efecto, tan tranquilo fui, que al regresar, ni me cercioré de si estaba allí la cantidad, los fajos de billetes verdosos, mugrientos, sobados, tan gratos, sin embargo, a la vista. Me acosté temprano; Lasús me aseguró que se acostaba también. A medianoche creí oír ruido en su cuarto. Se habrá desvelado —pensé— acordándose de su linda rubia. Y me entró el alborozo. ¡Amor! ¡Juventud! ¡Qué divinas cosas! A la mañana siguiente yo tenía que entregar la cantidad. Me levanté, me arreglé activamente, y ya con el sombrero puesto, abrí sin recelo la maleta... Aún recuerdo que me quedé sin voz: lo que se dice mudo, afónico por completo. ¡No había allí ni rastro de los billetes! Palpé, revolví con alocados movimientos... ¡Nada!

Caí al suelo acogotado. Me encontraron roncando una congestión. Me acostaron, me sangraron, mucho derivativo... El médico dijo que salvaría... pero ¡cuidadito! Si se repitiese...

Y así que pude hablar, preguntar, armar alboroto, risas irónicas me contestaron.

—Pero, ¿a quién, a no ser a usted, santo varón, se la pega Lasús? ¿Quién no sabía que era un jugador de oficio, un tahúr eterno y sempiterno? ¿Por qué se hace usted uña y carne de un hombre así? ¿Quién le mandaba intimar con él y ni siquiera cruzar la palabra con los demás huéspedes, gente honrada y formal? ¿Y se ha tragado usted lo del destino, y lo de los amoríos, y todo?

Y como yo, furioso, hablase de tribunales y jueces, la bigotuda patrona añadió:

—Sí; cítele usted ante el Padre eterno... ¡Han traído los papeles que a la salida de la timba se pegó un tiro y quedó redondo! Se conoce que perdería en una noche toda la guita de usted...

Sin poderlo remediar —¡cuidado que soy majadero!— perdoné al alma atormentada y crispada del pasional incorregible, que me arruinaba y me desconceptuaba para siempre.

Blanco y Negro, núm. 592, 1902.

El quinto

No puedo dudarlo. Ella se aproxima; oigo el ruido de manera seca de sus canillas y el golpeteo de sus pies sin carne sobre los peldaños de la escalera. No la quieren dejar pasar los médicos; mis sobrinos la aguardan con secreta ansiedad... Ella está segura de entrar cuando lo juzgue oportuno. Pondrá los mondos huesecillos de sus dedos sobre mi corazón, y el péndulo se parará eternamente.

Viene como acreedora: sabe que le debo una vida..., que al fin cobró, pero que yo me negaba a entregar. Y es que en mi conciencia estaba grabado el precepto santo que nos manda no extinguir la antorcha que Dios enciende. ¿Hice bien? ¿Hice mal? Voy a recordar aquel episodio, por si a la luz de esta hora suprema lo descifro. Otros sienten remordimientos de haber matado. Yo no puedo reconciliarme conmigo mismo..., porque no maté.

Fue mi mejor amigo de la juventud el marqués de Moncerrada. Juntos cursamos la facultad de Derecho; juntos corrimos las primeras aventuras. No teníamos dinero propio, todo era común, y ni el interés, ni la vanidad, ni la mujer abrieron entre nosotros grieta alguna. De dos que se quieren, siempre hay uno que se impone: aquí fue Enrique, y yo me avine a sus gustos, me adapté a su genio. Al pronto no me di cuenta del ascendiente que sobre mí ejercía, cuando lo advertí, experimenté cierta involuntaria mortificación. En mi interior surgió el afán inconsciente de reivindicar mi personalidad si se presentaba una ocasión decisiva.

En las cosas pequeñas es a veces más difícil transigir que en las grandes. Yo, capaz de dar por Enrique Moncerrada hasta la piel, no acertaba a soportar su afición a rodearse de animales, sobre todo caballos y perros. A instancias suyas aprendí a montar, y de mala gana sufrí las caricias de Medora, la perrilla predilecta, una faldera rizada, blanca como el ampo de la nieve, con hocico rosado y dos ojos lo mismo que cuentas de azabache. La verdad es que era un encanto, y nos hacía mil travesuras graciosas, semejantes a coqueterías de niña o de mujer. Con Enrique partía el lecho, el suave calor del edredón y de las mantas.

Un día... Esto sí que lo tengo presente, hasta en sus circunstancias más mínimas. Volvía yo de alquilar unos dominós para el baile del Real por encargo de Enrique; eran las cinco de la tarde, y le encontré cerca de la ventana, aplicándose un parche de tafetán inglés sobre la mano derecha.

–Figúrate –exclamó– que Medorita me ha clavado los dientes... no sé hasta dónde. ¡Así son todas las hembras! ¡Tan pronto halagos, como mordiscos! La vi triste; me empeñé en distraerla y que jugase..., y ahí tienes el premio –y diciéndolo, reía.

Por mis venas corrió hondo escalofrío. Adiviné con tremenda lucidez, en un relámpago; la luz lívida, horrible, me cegó, y, viéndome vacilar, Enrique me miró asombrado.

–¿Qué te pasa?

No contesté. En un rincón, sobre fofo cojín de seda, se enroscaba Medorita, abatida, inerte. Mis ojos se fijaron con tal extravío en el animal, que Enrique, a su vez, comprendió. Nunca he visto semejante expresión de terror en un rostro humano. Su palidez fue de muerto, de muerto ya descompuesto en la tumba. No cruzamos palabra. Saqué del bolsillo mi cortaplumas; arranqué el tafetán inglés que cubría las heridas; las dilaté; calenté la hoja en la chimenea, hasta enrojecerla, y practiqué el cauterio, brutalmente, como supe, como pude. Enrique rechinaba los dientes, pero no gemía. Al fin murmuró con acento desesperado:

–Si está rabiosa..., tiempo perdido. ¡Es muy tarde! ¡Mordió muy hondo!

Huimos del gabinete, cerramos con llave, para asegurar a Medorita, y esperamos al veterinario, avisado urgentemente. Buscando un pretexto, yo le aguardé en el portal, y le rogué que solo a mí dijese la verdad entera. Convinimos en que si la perra estaba, en efecto, rabiosa, él afirmaría que no, pero por precaución daría orden de matarla. Así se hizo. El veterinario examinó a Medorita, salió chanceándose torpemente, afirmando que no padecía sino los primeros síntomas de un mal cutáneo muy repugnante; que a eso se debían su tristeza y su furor, y que convenía evitarle sufrimientos con un tiro. «Y no tenga usted pizca de aprensión, señor marqués...» Cogí el revólver de Enrique, y a boca de jarro disparé dos veces. Medorita dio un salto y cayó, tiesa y erizada, con la cabeza deshecha y el espinazo partido... Al volverme, impresionado como si acabase de cometer un crimen, sentí que Enrique se abalanzaba a mi cuello. Fue un momento atroz... Creí que me mordía, y era que con acento sobrehumano murmuraba a mi oído:

—Es inútil tratar de engañarme..., ¿entiendes? Inútil. ¡Vas a prometerme por tu honor, por tu madre..., que al declarárseme la rabia me matarás a mí lo mismo que a Medora!

Y, subyugado, prometí: prometí, por mi honor. Enrique pareció tranquilizarse un poco. Inmediatamente nos dedicamos a consultar a las eminencias. Entonces no se practicaban los atrevidos métodos modernos para combatir la rabia; pero el misterio del extraño mal era el mismo que es hoy. ¡Inmensa extensión de nuestra ignorancia!

—Nada podemos afirmar, nada pronosticar —declararon los hombres de ciencia.

—La rabia puede presentarse y puede no presentarse. Si se presenta, no conocemos remedio seguro... Cruzarse de brazos... Calma y no preocupar el espíritu, que es peor.

¡No preocupar el espíritu! Enrique, al oír este consejo, soltó una risa demoníaca, una risa que blasfemaba. ¡Qué período aquel, el de los brazos cruzados! Mi amigo no me hablaba sino del fatídico plazo, de la hora espantable... «¡Me matarás!», repetía con imperio. En vano trataba yo de distraerle, de llevar su pensamiento a otros caminos. La idea fija derivaba hacia la locura. Sin embargo, corrían días, meses, trimestres; corrió medio año, un año..., y nada indicaba la aparición del mal. El tiempo hizo su oficio de lima: Enrique renació a la esperanza: empezó a interesarle algo de la vida exterior, a salir, a ver gente, a olvidar... ¡soberana medicina de todos los males de la tierra! Creyóse indultado, y entonces su juventud le rebosó por los poros, en vibrantes explosiones de alegría y de placer. Siempre había sido aficionado a la caza, y cuando me propuso una cacería, encontré en ella pretexto para disfrutar del campo, y acepté. Nos trasladamos al pueblecillo de Turnes, donde Enrique poseía una casa solariega.

Aún me parece respirar el hálito de fuego de aquella siesta de agosto... Habíamos resuelto bañarnos en el río, y nos desnudamos en un paraje solitario, bajo unos frondosos alisos. Enrique se quejaba, desde hacía días, de malestar vago, de tener la garganta apretada, las fauces secas: era sin duda, el bochorno canicular... Vi sus blancas piernas musculosas sumergirse en el agua transparente, y de pronto escuché un grito, un alarido más bien, algo estremecedor. Y le vi correr como un insensato hacia mí, agarrarse a mí, clavarme las uñas en la desnuda carne. Sus ojos salían de las órbitas.

—¡Ahí! —balbuceaba—. ¡Ahí! ¡Medora! ¡Ahí! ¡Está ahí quieta en el fondo del río! ¡La he visto en el espejo del agua!

Y cayó, revolcándose. Su boca espumaba; sus brazos se retorcían; pegaba prodigiosos saltos, como si no le pesase el cuerpo. Aparecía más aterrador en su desnudez de demente. Al fin se calmó un poco. Enjugué su sudor frío, le hice vestirse, me vestí, y cuando, sosteniéndole, volvíamos a casa, me suplicó, juntando las manos con angustiosa vehemencia:

—¡Acuérdate de lo que me has prometido!

¡Infeliz! No me atrevía a cumplir. Le dejé agonizar ocho días, entre torturas, en manos de curanderos, de médicos rurales, que le recetaban ruda cocida con sal y vino blanco, y que, por último, le sangraron, porque no se le podía sujetar.

No quise acceder a quebrantar el quinto mandamiento... Y por no infringirlo, por resistir al imperio que en mí ejercía Enrique, di lugar a que él, en un acceso más violento que ninguno, comunicase el horrible mal a la hija de la mayordoma, que, piadosa, le quería asistir. Enrique sucumbió entre dolores y frenesíes, y en los últimos momentos me gritó:

—¡Cobarde!

Yo huí; no sé qué hicieron de su cuerpo; no lo vi enterrar; no pregunté por la infeliz mordida, en quien la cadena de desesperación soldó otro anillo... A pesar de haber cumplido ¿mi deber?, no tuve una hora de alegría; viví huraño, solo, deseoso de morir también... Y ahora que ella se aproxima, quisiera cerrarle el paso. Pero avanza inflexible, y va a apoyar sobre mi agitado corazón los mondos huesecillos de sus dedos, parando el péndulo eternamente.

Blanco y Negro, núm. 624, 1903.

La argolla

Sola ya en la reducida habitación, Leocadia, con mano trémula, desgarró los papeles de seda que envolvían el estuche, se llegó a la ventana, que caía al patio, y oprimió el resorte. La tapa se alzó, y del fondo de azul raso surgió una línea centelleante; las fulguraciones de la pedrería hicieron cerrar los ojos a la joven, deliciosamente deslumbrada. No era falta de costumbre de ver joyas; a cada instante las admiraba, con la admiración impregnada de tristeza de una constante envidia, en gargantas y brazos menos torneados que los suyos. Si aquel brillo le parecía misterioso (el de los tachones de una puerta del cielo), es que se lo representaba alrededor de su brazo propio, como irradiación triunfante de su belleza, como esplendor de su ser femenino.

¡Había pasado tantos años ambicionando algo semejante a lo que significaba aquel estuche! Siempre vestida de desechos laboriosamente refrescados (¡qué ironía en este verbo!); siempre calzada con botas viejas, al través de cuya suela sutil penetraba la humedad del enlodado piso; siempre limpiando guantes innoblemente sucios, con la suciedad ajena, manchados en los bailes por otra mujer; siempre cambiando un lazo o una flor al sombrero de cuatro inviernos o tapando el roto cuello de la talma con una pasamanería aprovechada, verdosa, Leocadia repetía para sí con ira oculta: «¡Ah! ¡Cómo yo pueda algún día!» No sabía de qué modo..., pero estaba cierta de que aquel día iba a llegar, porque su regia hermosura, mariposa de intensos colores, rompía ya el basto capullo.

Recibida Leocadia en casa del opulento negociante Ribelles, como señorita de compañía de sus hijas, el hermano del banquero, solterón más rico aún, al regreso de uno de sus frecuentes viajes al extranjero, hallándola sola cuando volvía de escoltar a sus sobrinas, la detuvo, y sin preámbulo le dijo... lo que adivina el lector.

La conversación pasó frente a un espejo enorme, rodeado de plantas naturales, entre el silencio solemne de la escalera tapizada de grueso terciopelo rojo. Fue lacónica, firme, concreta, por parte de Gaspar; verdad es que Leocadia no titubeó: con dos síes aceptó el convenio.

Se irían juntos a Inglaterra, antes de una semana. Y el brazalete, la hilera de gruesos brillantes, que acababa de ceñir a su muñeca, era la señal, las arras, por decirlo así, del contrato. Se despediría la víspera de la familia

Ribelles por medio de una sencilla carta. Ni les debía otra cosa, ni tenía por qué darles cuenta de sus resoluciones. ¡Abur, abur!

Y se complacía mirando el hilo de luz en torno de la muñeca redonda. Alzó la mano hasta el espejo, para divisar en él su brazalete copiado. ¡Ya los tendría de todas clases, muy pronto! Aros de rubíes sangrientos y de zafiros celestes; cadenas de eslabones de oro, entreverados con lágrimas de perlas, como los que se ostentaren en el escaparate de Lacloche... Mientras pensaba esto, una idea cruzó por su cerebro de mujer a quien la necesidad ha forzado a adquirir cierta cultura –idea confusa, ráfagas de lecturas, recuerdo de la significación de la joya–. Argolla de esclava había sido en otros tiempos, en las primitivas edades, el mágico trazo centelleante que rodeaba su puño... «Ahora significa libertad –pensó–. No volveré a cubrir mi cuerpo con lo que otras no quisieron para el suyo...» Y sentía un profundo goce que le dilataba el pecho, que le enrojecía las mejillas, el disfrute anticipado de tantas preciosidades. Su cutis fino, de puro raso, percibía el contacto de la batista, la caricia muelle del encaje; su garganta, la tibia atmósfera que crean los rizados plumajes y las vivientes pieles; sus orejas de rosa, el toque frío del claro solitario; sus pies airosos, la opresión elástica y crujiente de la malla sedeña...

«No vuelvo a usar algodón –determinó–. Seda, seda no más... Y a docenas los pares... Unos calados; otros, bordados como galas de novia...» Acordóse del equipo de la mayor de las Ribelles, casada el año anterior, y las punzantes de codicia que despertaba tanta riqueza.

A la evocación de las venturas nupciales, un estremecimiento corrió por el espinazo de Leocadia. Ella no era novia... Las novias no lo son por las galas, ni por las joyas, ni siquiera por el amor... Son novias por otra razón. ¡Leocadia no sería novia jamás! Sin embargo, a pesar de sus ansias de desquite y de lujo, acaso por ellas mismas, conservaba su pureza como se conserva lejos del hielo y del cierzo una azucena destinada a marchitarse en una orgía. «Dentro de seis días...», calculó con involuntario horror. La figura de Gaspar brotó, por decirlo así, del fondo oscuro del curtucho, en una especie de alucinación de los sentidos. Leocadia vio a su futuro... Futuro ¿qué? «Futuro... dueño», articuló, abrasándose la garganta al paso de la voz. El orgullo, el orgullo con anverso de virtud y reverso de vicio, con su dualidad, se irguió en su alma. ¡El tal Gaspar Ribelles! Su barba ya canosa, lustrada de aceite perfumado; su boca, de labios gordos; sus dientes plomizos, restaurados por medio de toquecitos de oro; sus mejillas llenas y encarnadas; su abdomen de ricachón... ¡Qué tipo tan diferente de lo que a menudo, al oír música, después de leer versos, o en la capilla, entre el olor del incienso, soñaba Leocadia! Con la intensidad de un dolor físico, agudo, de una impresión de azotes en las desnudas espaldas, la hirió la certidumbre de que solo faltaban seis días para la esclavitud... ¡Ah! ¡Cómo aborrecía al mercader! ¡Cómo le aborrecía con todo su ser sublevado, con epidermis, nervios, fibras, venas, entrañas!...

Un golpe en la puerta del cuarto, y la cara risueña y maliciosa, de monago, de Tomasico, el botones.

—Señorita... Esta carta acaban de traer.

Era un continental: un pliego de papel que tenía por timbre el globo terráqueo, dos hemisferios. Leocadia firmó el sobre, dejó la pluma encima de la mesilla, se acercó a la ventana enrejada y leyó. Según descifraba la misiva aquella, la fresca palidez de su semblante radioso se teñía de púrpura, rápidamente, como si millares de manos la abofeteasen a la vez:

«Sal esta noche a la calle; te aguardo en la esquina a las diez con un coche. Cenaremos juntos. G.»

El tono imperativo, el grosero tuteo inmotivado, la precaución de la inicial... Leocadia creyó notar que se abría en su corazón una fuente, un chorro de agua limpia, amarga, sana, hervidora, un manantial de indignación, de altivez, de furor, de desprecio. Y debía de ser verdad que la fuente manaba, y se desbordaba, pues ya buscaba desahogo por los ojos. Lágrimas gruesas, copiosas, bajaban a apagar el incendio de las mejilllas...

Hizo trizas el papel; abrió la ventana y al través de la reja lanzó los pedacitos blancos, que revolotearon y fueron a posarse en las losas de la acera. Después, desabrochándose lentamente el ciclo de pedrería, lo miró al través de su llanto, lo tiró al suelo y con sus botitas viejas pisó, volvió a pisar, taconeó, rompió la argolla, haciendo saltar los brillantes de su engaste delicado.

El Imparcial, 29 de diciembre de 1902.

El destino

Casi todos creemos haber librado de algún peligro, por alguna casualidad; casi todos hemos visto, una vez al menos durante nuestra vida, inclinarse sobre el abismo el platillo de la balanza, y no volcarse, vencido ya, por milagro...

Pocos estarán de ello tan seguros como Matías Reñales, mocetón de pelo en pecho, que ejerce el desalmado oficio de guarda de consumos, y más veces anda a tiros que reza el rosario. Aparte de los lances del oficio, Matías suele encontrarse enredado en otros que nada tienen que ver con las gabelas del Ayuntamiento, pues Matías es más enamorado que dromedario africano, amén de celoso y matón y reñidor sin jactancias, pero con derroches de valentía que rayan en bizarra temeridad; y a su manera, y dentro del círculo nada selecto de sus relaciones, Matías se procura una serie de emociones románticas, y se juega el pellejo con desgaire de guapo e indiferencia de fatalista.

—Porque, miusté —díjome en ocasión de haber venido a verme para pedirme cierta recomendación, la número quinientos mil de las que a toda hora llueven sobre todo el mundo, sea o no sea influyente— en no estando de allá... —y señaló, alzando el índice, al techo de mi escritorio—. Si está de allí, sale usté a la calle, hace viento, cae una teja de punta, le da en la cabeza..., y a San Ginés.

Se me había olvidado que Matías, recriado en Madrid, es albaceteño, no sé si de la propia ciudad puñalera, seguramente de la provincia; y convendrá advertir también que su tipo corresponde al del semimoro, bautizado, pero en el fondo incristianable, que con tal frecuencia encontramos en nuestras regiones del Mediodía. De arrogante figura, tez cetrina, ojos de fuego y terciopelo, barba de intenso negror y un bosque de descuidados rizos coronando la bella cabeza, Matías es grave y sentencioso a fuer de moro natural y ni se alaba de sus proezas, ni echa por tierra a nadie. Hay en él rasgos simpáticos de la dignidad mahometana, sobre todo cuando insiste en lo estéril de los esfuerzos humanos para contrarrestar lo que está escrito. No emplea esta frase; pero el concepto, sí. Y tirando del hilo del concepto, viene a sacar el ovillo del episodio que aún hace erizarse el cabello de Matías.

—Era yo criatura de unos siete años, y vivía con mi madre, ¡proecita!, en cá el agüelo, pae de mi pae, que era labraor. Yo no podía ayuar aún porque no tenía juerza, y mi quehacer era zamparme las golosinas y andar diableando. En la casa, además de mi madre y yo, estaba la otra nuera del agüelo y otros dos chiquillos, Roque y Melchorcico, hijos suyos. Mi tía se yamaba Tecla; mi madre, Llanos —de la Virgen e los Llanos, que es la patrona del pueblo—. Las dos, mi tía y mi madre, habían enviudao a un tiempo, cuando el cólera. ¡Que fue una compasión! Y el agüelo, ¿qué quería usted que hiciese? Las recogió y las amparó..., y tós comíamos.

Solo que la comía a unos aprovecha y a otros paece que se les vuelve solimán. Mi tía Tecla era de esta casta. ¡Mujer más seca!... Parecía guindilla e sartal, o los gatos cuando pasan veinte días cerraos en un armario, que salen chupaos y echando lumbres. Gastaba un genio e vinagre, y andaba roía de envidia en vista de que sus dos criaturas no acaban de medrar, mientras yo, hecho una manzana y más duro que una guija. Mi madre estaba desvanecía conmigo; al fin no tenía otra cosa a qué mirar en el mundo; y el agüelo —¡caprichos de señores mayores!— se le caía la baba conmigo y me hartaba de mimos y me daba a escondías la mejor fruta del huerto. Y miusté que yo comprendo las cosas; vamos, la que ha pario un par de chiquitines tan de Dios como cualquiera, y a más delicaos, y ve que todo el cariño se lo yeva otro hijo e otra madre, ¿cómo quiusté que se ponga? Como una pantera. Así andaba tía Tecla: unos ojos me echaba a escondidas que yo corría a agazaparme en las faldas de mi madre temblando e susto.

Y no era yo muy medroso... Al contrario; más malo que un cabrito; siempre enzarzao en peleas y metiéndome a hacer hombrás fuera e tino y hora, tirando pedrás al mesmo Sol y rompiendo la crisma a zagalones que me yevaban la caeza de altos. Pero elante tía Tecla me entraba un canguelo, que se me quitaban el habla y la acción. Era como aquel que ve una serpiente desmesurá, y en igual de echar a correr se quea quieto esperando la mordedura. Tía Tecla me encantaba con los ojos de basilisco que siempre me estaba flechando; y es que por los ojos aquellos salía un aborrecimiento tan de aentro de la entraña, que me parecían las hojas de dos puñales metiéndome por el corazón a partírmelo. Como me la echaba de guapo, vergüenza me daría de ecirle a madre que tenía un miedo tan horroroso;

pero juraría que a ella le pasaba otro tanto, ¡proecilla!, y ca vez que yo me apartaba un minuto, andaba buscándome toda angustiá.

Por aquel entonces hizo mi agüelo una cosa na buena, y lo digo aunque sea faltar y parezca ingratitud, porque la gente de malos hígaos se güelve repeor cuando la esesperan con demasiá poca justicia. Pues el agüelo, ¡Dios le haya perdonao!, sintiendo que le pesaban los años, llamó a un escribano y dispuso de cuanto tenía: el huerto, los trastos de la casa y la labor, unas tierras... y tó en favor mío. A los chicos de tía Tecla, ni esto. ¿Verdad que es pa irritar? Yo no me enteré, y aunque me enterase, ¿qué entiende un chico? Lo único, que tía Tecla se puso más feroz, y cuando me encontraba solo paecía que intentaba espeazarme. ¡Qué lástima que me dan los que pasan miedo! El miedo es cosa mala; es una enfermeá. Yo perdí el comer y me entró calentura.

Era una murria, que to el día me lo pasaba acurrucao a la vera de la lumbre, cerca del fogón. Estío era, y yo tiritaba. El sangraor ijo que aquello venía de la humedá de la acequia; pero sí ¡buena humedá! Mi madre me armó una especie de cama con un colchón y una colcha de percal, y de allí costaba trabajo sacarme. El agüelo juraba que una bruja me había hecho mal de ojo. Pué que sí, que los ojos suelten veneno.

No sentía miaja de alivio, cuando un sábado, ¡qué día tan señalao!, mi madre puso el caldero de la lejía a hervir. Mientras cocía el agua, mi madre aclaraba en el patio. El agüelo se había ido fuera a tomar el Sol. Y cátate que uno de los chicos de tía Tecla, Roquillo, el mayor, que era de mi edad y se espepitaba por mí, viéndome acostao con la cara tapá por la colcha, me sacudió y me dijo: «Matías, ¿sabes que ha parío la perra? ¡Seis cachorros tiene! Y está tan celosa, que no me atrevo a cogerle uno. ¿Te atreves tú?» Yo he tenío siempre la debiliá de que cuando me preguntan si me atrevo, me atrevería me paece que a encararme con Dios. Contesté: «Ahora mismo», y salté de mi colchón. El chico –no sé por qué, ¡las veces que he pensao por qué pudo ser aquello!, ¡cosas de la suerte del hombre!– va y dice: «Pues yo, pa que no te escubran, aquí en tu sitio me escondo.» Y se cuela en mi cama, y sube la colcha como yo, igualito...

Voy al cobertizo, me yego a la Pulia, me enzarco con ella, me clava los dientes en este brazo, me saca un peazo e pellejo –¡lo que son las madres pa defender la cría!–, agarro uno de los perriyos, ciegos aún, un canelo precioso, cierro la cancilla y a escape me vuelvo a la cocina. En la puerta me paro elavao de susto; ¡tía Tecla estaba ayí! Me quedo estatua. Con la perra, bueno; pero con la mujer... Y así, agachaito, la veo que tienta en mi cama, y el primo callao. Entonces, ¡Virgen de los Llanos!, la veo que agarra por las asas el caldero de la lejía, hirviendo a to hervir, que lo alza en peso, que se vuelve, que se acerca a la cama y que de pronto... ¡zas!, lo suerta encima de golpe... ¡Si viese usted lo que pasó, antes de morir, aquella criatura escaldá viva! ¡Ni un santo mártir!

Y ahí tiene usté por qué luego he creído que lo que está de allí... –añadió Matías, con relampagueos de espanto en las pupilas al recuerdo de la tragedia, y señalando hacia arriba.

Blanco y Negro, núm. 572, 1902.

Tío Terrones

En el pueblo de Montonera, por espacio de dos meses, no se habló sino del ejemplar castigo de Petronila, la hija del tío Crispín Terrones. Al saber el desliz de la muchacha, su padre había empezado por aplicarle una tremenda paliza con la vara de taray –la de apalear la capa por miedo a la polilla–, hecho lo cual, la maldijo solemnemente, como quien exorcisa a un energúmeno y, al fin, después de entregarle un mezquino hatillo y treinta reales, la sacó fuera de la casa, fulminando en alta voz esta sentencia:

–Vete a donde quieras, que mi puerta no has de atravesarla más en tu vida.

Petronila, silenciosamente, bajó la cabeza y se dirigió al mesón, donde pasó aquella primera noche; al día siguiente, de madrugada, trepó a la imperial de la diligencia y alejóse de su lugar resuelta a no volver nunca. La mesonera, mujer de blandas entrañas, quedó muy enternecida; a nadie había visto llorar así, con tanta amargura; los sollozos de la maldita resonaban en todo el mesón. Tanto pudo la lástima con la tía Hilaria –la piadosa mesonera tenía este nombre–, que al despedirse Petronila preguntando cuánto debía por el hospedaje, en vez de cobrar nada, deslizó en la mano ardorosa de la muchacha un duro, no sin secarse con el pico del pañuelo los húmedos ojos. ¡Ver aflicciones, y no aliviarlas pudiendo! Para eso no había nacido Hilaria, la de la venta del Cojitranco.

Cinco años transcurrieron sin que se supiese nada del paradero de la maldita. Ya en Montonera rarísima vez se pronunciaba su nombre; la familia daba ejemplo de indiferencia; el padre, metido en sus eras y en sus trigales; las hijas –que habían ido casándose, a pesar de la mala nota que por culpa de Petronila recaía en ellas–, atareadas en su hogar y criando a sus retoños. Sin embargo, Zoila –la más joven, la única soltera– solía detenerse a la puerta del mesón a conversar, mejor dicho, a chismorrear con la tía Hilaria, movida del deseo de averiguar algo referente a Petronila, de la cual no se olvidaba. Y acaeció que cierta tarde, fijándose casualmente en las orejas de la mesonera, Zoila –que era todo lo aficionada a componerse y emperifollarse que permitía su humilde estado– soltó un chillido y exclamó:

–¡Anda, y qué pendientes tan majos, tía Hilaria! ¡Pues si son de oro! ¡Y con chispas, digo! ¡Ni la Virgen del Pardal! ¿De ónde los ha sacao usté?

—Me los han regalao, itú! —contestó evasivamente la mesonera.

—iRegalao! iDiez! ¿Y quién ha tenío la ocurrencia de regalarle esa preciosidá a una..., a una persona mayor!

—Di a una vieja, que es lo que quieres decir, mocosa —rezongó algo picada la tía Hilaria, pues no hay hembra, así cuente los años de Matusalén, a quien no mortifique el que se los echen en rostro—. Ahí verás; quien me los regaló..., quien me los regaló es persona muy conocía tuya.

No fue posible sacarle otra palabra; pero Zoila no era lerda ni roma del entendimiento, y concibió una sospecha fundada. Desde entonces volvió por el mesón del Cojitranco siempre que pudo, y observó. Hilaria, que tampoco pecaba de simple, notó el espionaje y pareció complacerse en desafiarlo y en irritar las curiosidades envidiosas. Cada día estrenaba galas nuevas, brincos y joyas que hacían reconcomerse a la mozuela y la volvían tarumba. Ya era el rosario de oro y nácar lucido en misa mayor, ya el rico mantón de ocho puntas en que se agasajaba, ya la sortija de un brillante gordo, ya el buen vestido de merino negro con adornos de agremán. No pasan inadvertidos detalles de esta magnitud en ninguna parte, y mucho menos en Montonera; pero antes de que el pueblo atónito se convenciese del insolente boato que gastaba la tía Hilaria; antes de que en la rebotica se comentasen acaloradamente las obras de reparación y ensanche emprendidas a todo coste en el ruinoso mesón, y la adquisición de varios terrenos de labradío de los más productivos, pegados a las heredades de Hilaria, y que las redondeaban como una bola, ya Zoila había gritado a su padre con ronca y furiosa voz y con iracundo temblor de labios:

—Tos los lujos asiáticos de la tía Hilaria, ¿sabe usté de ónde salen? ¿A que no? iDe la Petronila, ni más ni menos! Y ahora, ¿qué ice usté deso, amos a ver?

—Y, ¿qué quiés que yo te diga? —respondió el paleto, hosco y cabizbajo, con una arruga profunda en la frente y dejando arrastrar la mirada por el suelo.

—¿Qué quiero? iAnda, anda! iQué es un pecao contra Dios que se lo lleven tó los extraños y los parientes por la sangre no sepamos siquiá que tenemos una hermana más rica que el Banco España! Sí, señor; no haga usté señal que no con las cejas... Ya corre por tó el lugar, y ayer en la botica lo explicó el médico don Tiodoro... Paice que está la Petronila en Madrí, y que vive en una casa grande a mo de palacio, y por no faltarle cosa alguna, hasta coche lleva, con dos yeguas rollizas, que ni las mulas del señor obispo. Y na menos que le manda a la tía Hilaria munchas pesetas por ca correo... ¿Es eso rigular?

—¡Allá ellas! —refunfuñó el tío Terrones ásperamente, sombrío y ceñudo—; ¡Lo mal ganao, que le aproveche a quien lo come!

—¿Y usté qué sabe si es mal ganao? Dios manda pensar lo mejor.

Callaron padre e hija, pero sus miradas ávidas, sus plegadas frentes, sus ojillos, en que relucía involuntariamente la codicia, se expresaron con sobrada elocuencia. Zoila fue la primera que se resolvió a formular el oscuro anhelo de su voluntad.

Retorciendo un pico del pañuelo y adelantando los labios dos o tres veces en mohín antes de romper a hablar, susurró bajito, dengosa y seria:

—Yo que usté..., pues le escribía dos letras... ¡Na más que dos letras! ¡Medio pliego!

—¿Y estaría eso bonito, Zoila?... Amos, mujer... Como si ahora te fueses a morir, ¿estaría bonito? ¡Después de lo pasao, hija!

—Bonito, bonito... ¿De qué sirve bonitear? ¡Más feo está que se lleve la tía Hilaria lo que en ley debía ser de usté... o mío por lo menos, ea!

Terrones alzó la callosa mano y se rascó despacio, con movimiento maquinal, la atezada sien, sombreada por una ráfaga de cabello ceniciento, corto y duro. Por primera vez, desde la expulsión de Petronila, meditaba el problema de aquel destino de mujer, en que él había influido de tan decisiva manera al condenarla, rechazarla y maldecirla cuando cayó. Entonces le parecía al bueno del paleto que cumplía un deber moral, y hasta que procedía como caballero, allá a su manera rústica, pero impregnada de un sabor romántico a la antigua española; y lanzada la maldición, barrida y limpia la casa con la marcha de la hija culpable, el pardillo se había creído grande, fuerte, una especie de monarca doméstico, de absoluto poder y patriarcales atribuciones. El que juzga, el que sentencia, el que ejecuta, crece, domina, vuela por encima del resto de la humanidad... Bien recordaba Terrones que —en más o menos rudimentaria forma— así se sentía cuando hizo de justiciero; y ahora, por el contrario, advertía una humillación grande al reprenderle su otra hija, al persuadirse de que la de allá, la maldita, la echada, la barrida, la culpable, tenía en sus manos la felicidad según la comprendía Terrones: poseía los bienes de la tierra. Recordad lo que es para el paleto el dinero... Pero ¿y la honra? ¡Bah! ¿A quién le importa la honra de un pobre?... ¡Cuántas veces el pícaro dinero toma figura de honor!

No obstante estas reflexiones disolventes, el viejo, frunciendo las cejas con repentina energía, levantándose como para cortar la discusión, exclamó del modo más rotundo y seco, lleno de dignidad e intransigencia:

—La tinta con que yo le escriba a esa pindonga, no sá fabricao ni sá de fabricar, mujer.

Antes de que Zoila, aturdida, opusiese impetuosa réplica, sin dar tiempo a que abriese la boca, a que respirase, Terrones se detuvo un momento y masculló sin transición de tono:

—Ahora, si tú quiés escribir... Hija, no digo... Tú, es otra cosa. Pa eso has ío a la escuela y haces ese letruz tan reondo, que ¡no paice sino que estudiabas el oficio de mimorialista!

Blanco y Negro, núm. 356, 1898.

Sin respuesta

He aquí la relación que hizo el viudo –uno de los poquísimos inconsolables que se encuentran:

De Águeda Salas corría un rumor: que no se casaría jamás, y que si por caso improbable llegase a encontrar marido, sería infinitamente desgraciada, abandonada al día siguiente.

Quien la viese en la calle o en el teatro no se explicaría estas voces. ¿Por qué había de ser incasable Guedita? Mire usted este retrato: conmigo lo llevo siempre. Me parece que es toda una hermosa mujer, y que no me ciega la pasión. Ahí no ve usted sino las facciones: falta el color, lo más notable que tenía. Los ojos eran verdes y claros como el agua del mar en los huecos de las peñas, el pelo castaño y con resplandores rubios y la tez tan fina y tan blanca, que no he visto otra como ella. Lo más particular era la oposición que hacían en aquella blanca piel los labios acarminados, de un color de sangre viva, que, según las malas lenguas, se debía a la pintura. Y no se debía: ¡me consta!

En la calle, por las aceras de Recoletos y el pinar de Alcalá, seguía a Guedita infinidad de moscones. Eso también es positivo: como que lo presencié. Y me extrañó, porque recordaba lo que decían de ella. Entonces empecé a fijarme, a seguirla yo, sin darle importancia a la cosa, por todos los sitios públicos, y a enterarme de sus condiciones. Los informes redoblaron mi curiosidad: se desprendía de ellos que Guedita, lejos de ser incansable, reunía todas las condiciones que facilitan la colocación de una muchacha. Sin que descendiese de la pata del *Cid*, era de familia estimadísima; sin contarse entre las millonarias, tenía suficiente hacienda, heredada ya de su madre, y para más ventaja, solo un hermano, que seguía la carrera de Marina, y que sería cuñado poco molesto. A mí, personalmente esto no me hubiese decidido: si algo me arrastró, fue el contraste entre tales noticias y las profecías contra Águeda.

Nadie las razonaba: todo se volvía meneos de cabeza, gestos, cuchicheos de amigas entre sí... Y me entró una indignación, que todavía no se me ha quitado, y murmuré para mis adentros: «Me parece, me parece que se casa Guedita.»

Yo no la trataba aún; no me habían presentado a ella. Me advirtieron, y en esto acertaban, que sería difícil la presentación, porque Águeda evitaba concurrir a reuniones, lo cual acabó de ganar mis simpatías; yo soy también peña y retraído, tengo contados amigos y solo me complazco en la intimidad. Pero, en el teatro, mis miradas no se apartaban del palco de Águeda y después de una campaña de gemelos se me figuró que correspondía con mirar dulce, furtivo y triste.

Ya decidido, y más interesado de lo que creía, quise, sin embargo, antes de dar un paso que me comprometiese, adoptar precauciones que aconsejaba la prudencia. Llamé a capítulo a un pariente mío, persona seria, le confesé mi inclinación y le pedí consejo.

—Te ruego —le dije— que no me ocultes la verdad, si es que la conoces; y si no, que la averigües, porque a mí no me la han de describir; todos me embroman con Águeda ya. Si hay en su breve pasado, en su familia, una de esas manchas de honor...

—No —me respondió el interrogado—. Nada de manchas ni de deshonras. La causa de esas profecías sobre el casamiento de Águeda es diferente, muy prosaica y muy vulgar. ¿Cómo te lo explicaré, que no hiera tu entusiasmo? ¿No has oído tú comparar a las mujeres con las flores? ¿No has oído repetir que es una inferioridad en el pensamiento y en la camelia carecer de aroma? ¿Qué te parecería una flor que en vez de despedir gratas emanaciones o ser buenamente inodora, exhalase...?

—¡Basta! —exclamé con repugnancia, sublevado, a punto de pegarle—. ¡Eso es una invención ridícula, una patraña burda! Sin haberme acercado a ella jamás, sostengo que quien tal dice miente por la gola, y poco he de tardar en desmentirlos autorizadamente.

—Ya sabía yo —repuso él— que es tonto contarle verdades a un enamorado. Y sardónico añadió: —Acércate...

Me acerqué; conseguí ser presentado a Guedita en casa de unas señoras que recibían por la tarde, en confianza, a dos o tres personas. El temor de perder mi ilusión me hacía latir el pecho. Temblaba al aproximarme. Temblaba con tanto mayor motivo, cuanto que una de las dueñas de la casa me había dicho por lo bajo:

—Aunque note usted la desgracia de la pobrecita, no lo deje ver. ¡Le da tanta pena!

Momentos después... me había cerciorado de lo embustero, de lo pérfido que es el mundo. Momentos después... una furiosa rabia retostaba mi sangre, y hubiese dado algo bueno por coger del pescuezo a los calumniadores, juntos en haz, y retorcerlos, como quien retuerce un puñado de paja antes de pegarle fuego. ¡Si yo estaba seguro! ¡Si lo juraba, que la boca bermeja, tan pequeña y bonita, con sus dientes de piñón mondado, no exhalaba, no podría exhalar más que un hálito fragante como la brisa que pasa sobre jardines... y que no es más pura el agua reposada en cristal!

Lo demás... se adivina. Nuestros amores fueron breves y muy intensos. Ella no cesaba de preguntarme: «Pero ¿de veras me quieres?», porque sin duda la calumnia le había quitado toda esperanza de inspirar amor. Como ningún obstáculo se oponía a nuestros deseos, nos casamos en un relámpago, y por voluntad expresa de la novia se hizo la boda sin ruido, y nos fuimos a disfrutar la Luna de miel a mi hacienda de Córdoba, resueltos, si nos encontrábamos bien, a prolongar la estancia. Y tan bien, tan divinamente nos encontramos, que allí pasamos los tres años felices de mi vida; los tres años tejidos de ventura, en los cuales, si los ángeles envidian, pudieron envidiarnos. Siempre que yo le proponía a Guedita volver a Madrid o emprender algún viaje que la distrajese, infaliblemente me respondía:

—No se debe nunca variar cuando se está a gusto. Es tentar a la mala suerte. Déjame que viva y respire...

¡Razón tenía! A los tres años corridos, su salud decayó. No podía comer: un fuego interior la consumía. Llamamos a un médico ilustre, que la conocía y la atendía desde niña. Cuando le pedí que me sacase de dudas, me encargó valor y me sentenció así:

—Durará más o menos, pero esperanza no hay.

Y como yo no quisiese conformarme y me entregase a conjeturas —lo de siempre, lo natural cuando queremos de veras—, agregó el doctor:

—El mal lo lleva desde hace tiempo en la masa de la sangre... El síntoma es la fetidez.

—¿Dónde está ese síntoma? —exclamé—. Su boca respira esencia de claveles y azahares.

—¿Habla usted en serio? —balbuceó, asombrado, el doctor—. Pues si yo iba a darle a usted algún preservativo, para que pudiese soportar... Porque ahora, con el padecimiento...

—¿Que si hablo en serio? Águeda tiene y ha tenido siempre un ramillete en los labios.

El médico, después de mirarme un instante fijamente, me pidió permiso, me examinó los oídos, la cara, el paladar, y habló no sé qué de obstrucción, de oclusión, para sacar en limpio que, por efecto de algunos catarros tenaces, que en efecto, yo había sufrido, uno de los sentidos corporales no ejercía sus funciones.

Y el viudo añadió melancólicamente:

—Después... han vuelto a reconocerme varios médicos, y todos conformes con el diagnóstico del primer doctor. Pero ¿sabe usted lo que no han conseguido explicarme? Que yo careciese de un sentido..., bueno... Que por esa carencia no notase lo que el resto de la humanidad notaba... corriente. Lo incomprensible es que, privado de ese sentido, percibiese y siga percibiendo, cuando me acuerdo de Guedita, aquel aroma mezclado de clavel y de azahar...

¡Ningún médico lo acierta! ¡Ninguno!

Un duro falso

–No te vengas sin cobrar, ¿yestú?

La orden repercutía con martilleo monótono en la cabeza, redonda y rapada, del aprendiz de obra prima. ¿Sin cobrar? De ningún modo. En primer término, le obligaba el punto de honra, el deseo de acreditar que servía para algo –¡le habían repetido tantas veces, en tono despreciativo, la afirmación contraria!–. En segundo, le apremiaba el horror nervioso, profundo, a la vergüenza del infalible puntillón del maestro...

¡El maestro! ¡Si Natario, el desmedrado granuja, fuese capaz de aquilatar la exactitud de las denominaciones, sacaría en limpio que no procedía nombrar maestro a quien nada enseña! ¡Aun sin razonarlo, Natario lo percibía, y no podía sufrirlo, señores! Había un fondo de amargor en el alma oprimida del chico. Le faltaba aire de justicia; se sentía ofendido, menospreciado, y acaso en su propia ofensa latía la de una colectividad. No daba a estos sentimientos su verdadero alcance; no era consciente de ellos. Protesta sorda, oscura, que se exaltaba a fin de mes, cuando la madre de Natario, asistenta y casi mendiga, tenía que aflojar una peseta por los derechos de aprendizaje de su hijo.

–¿Te da labor el señor Romualdo? ¿Aprendes o no? Culpa tuya será, haragán, flojo, zángano... ¡Pum!

Y la mano ruda, deformada, de la madre plebeya caía sobre la cabeza pálida y afeitada al rape. Natario se sorbía las lágrimas, se guardaba el golpe –porque no era ignominioso– y volvía al obrador con más indignación depositada en el pecho. ¿Quién aprende, vamos a ver, si no le ponen tarea; si en vez de confiarle un cacho de suela remojada para batirla, solo le dan unas hojas de papel con que apremiar a la gente? A él no le encargaban sino que se llegase aquí o acullá, a casas situadas en barrios extraviados, a subir pisos y más pisos, para que le despidiesen con el encargo de volver a primeros de mes, cuando hay dinerete fresco... Así rompía Natario su calzado propio, sin esperanzas de adiestrarse en fabricar el ajeno nunca. Los pares de botas alineados en el mostrador, con sus puntas relucientes, cristalinas a fuerza de restregones de crema smart; los zapatos de alto taconcito y moño crespo, de seda y abalorio, parecían desdeñar sus afanes de artista. «No nos construirás nunca. Tú, a mal barrer el obrador y a atropellar recados.»

Algo semejante a esto le decían los demás oficiales con sus burlas y chanflonerías. El aprendiz recadero era el hazmerreír, el tema jocoso de las conversaciones. Su huraña tristeza, su aire de persona herida por la suerte, daban larga tela regocijada a los intermedios de la labor, cigarrillo en boca. Le ponían motes efímeros –Papa Notario, el Tranvía– por irrisión de que ignoraba lo que era subirse a este popularísimo vehículo. Bien podría, como otros golfos, trepar a la plataforma y estarse allí hasta que le corriesen; pero a Natario le dolía, como sabemos, el punto de honra maldecido... En su sangre pobre, de chico escrofuloso y enteco por desnutrición, corría quizá una vena azul cobalto, algo que infunde al espíritu el temple de la altivez y no permite exponerse jamás a ser afrentado merecidamente... Sin razón, claro es que aguantaba bochornos y malos tratamientos... ¡Con razón, concho, con razón nadie había tenido qué decirle al hijo de su madre! Y el hervor de aquella indignación consabida se acrecentaba, y sus burbujas subían al cerebro del chiquillo, casi adolescente, alborotando sus primeras pasionalidades. Sus manos se crispaban, su garganta se contraía. Después, calmado el acceso, recaía en esquiva y pasiva obediencia.

Le encontramos volviendo al taller, después de una de sus odiseas de entrega y cobro. ¡Qué rendido venía! Arrastraba los pies. Eran las seis de la tarde, y desde las once, hora en que su madre le había dado unas sopas de corruscos de pan flotando en aguachirle turbia, ningún alimento confortaba su estómago. Natario conocía el origen de su desconsuelo, del desfallecimiento angustioso que engendraba su cansancio; un mendrugo y una copa de vino lo remediaría... Otros chicos, en las calles que el aprendiz iba recorriendo, extendían la mano, contando cosas muy plañideras, y los señores, sin mirarlos les alargaban perros. «Si tiés hambre, ingéniate como los demás», era la imperiosa instrucción de la madre. Ingeniarse significaba pedir limosna o... Esto último no acertaba ni a pensarlo. Y lo otro, tampoco: una luz de la conciencia le mostraba que ambos recursos se asemejan y a veces se confunden. Él, Natario, viviría de su sudor, pero con la frente alta..., es un decir, y lo de la frente alta, una frase que jamás había pronunciado el chico; pero dentro de sí, Natario se hacía superior a la humillación de su inutilidad y pequeñez, con la certidumbre de no ser capaz –ni de trance de muerte– de «ingeniarse como los más», ¡mendigos o rateros!

En el bolsillo de su raído pantalón, pesaban los cuartos de la cobranza, seis duros, cuatro pesetas, unos céntimos. Natario, por costumbre, deslizaba la mano frecuentemente, palpando las monedas, con terror de perder alguna, que se escurriese por agujeros invisibles del forro. Allí estaban; no se habían evaporado. Natario se detuvo a respirar, con el resuello corto y nublada la vista. Luego, de una arrancada desesperada, salvó las tres o cuatro calles que le separaban del establecimiento de su patrono.

–¿Viene la cantidad? –los ojos encarnizados del zapatero interrogaban severamente.

–Aquí la traigo...

Entre las ansias del sobrealiento y el impulso irresistible de rendir pronto lo que no era suyo, Natario jadeaba. Risas sofocadas salieron del obrador, donde, silbando un tango verde, los compañeros cosían y batían suela. Hacíales gracia lo fatigoso que llegaba el bueno de Tranvía.

–Oye, oye, guasón... ¿qué rediez me traes aquí? –interrogó el patrono, al recontar la entrega–. ¿Tú te has creído, sabandija, que voy a tomarte por buena moneda falsa?

–¿Moneda falsa? –Natario repetía las palabras atónito, sin comprender.

–¡Hazte el tonto!... ¡Buen tonto aprovechado estás tú! Te guardas el duro legítimo y me das el de plomo indecente. ¡A ver, venga mi duro, más pronto que la vista!

Un lloro repentino, un hipo asfixiante, una queja que vibraba furiosa...

–¡Es el que man dao! ¡El que man dao! ¡No man... dao... otro!

La diestra nervuda y velluda del patrono descargó un revés en la mejilla macilenta del aprendiz, sofocado por las lágrimas y la rebeldía de su orgullosa honradez.

–¡Agua va!

–¡Apúntate esa!

Eran las voces mofadoras de los verdaderos aprendices, de los que machacaban el cuero y tiraban del hilo encerado. El estallido del bofetón, el alboroto de la bronca, los distraían.

—¡Por robar a tu maestro! —exclamó el zapatero violentamente, secundando en el otro carrillo.

Natario no sintió el dolor del brutal soplamocos; las muelas le temblaron, pero ni lo advirtió siquiera. Allá dentro, en el fondo mismo de su ser, algo le dolía más, con punzadas y latidos intolerables: «Por robar...»

En voz ronca, voz de hombre —que él mismo no conocía y le sonaba de extraño modo— lanzó a la cara de su opresor:

—Usté no es mi maestro. ¡Yo no he robao!

Y una interjección feroz y un conato de arrojarse al cuello de su enemigo... Un conato solamente; porque si Natario acababa de sentir en su espíritu la virilidad que reforzaba su voz, su cuerpo mezquino cedió inmediatamente: dos brazos fuertes le sujetaron, y puños enérgicos le contundieron, descargando sobre su pecho canijo, sus flacos hombros, sus espaldas precozmente doblegadas, lluvia de trompicones, mientras un pie recio, ancho, intentaba partirle la espinilla con reiterados golpes de los que hacen ver en el aire lucería de color... El niño, desencajado, apretando los dientes, reprimía el grito, el ¡ay! del martirizado; un hilo de sangre brotaba de sus narices magulladas por un puñetazo certero. El señor Romualdo, embriagándose con su propia ira, repetía:

—¡Ladrón! ¡Estafador! ¡Venga el duro, o a la cárcel!

Se cansó al fin de pegar, tomó un respiro, soltó al muchacho y se sentó, pasándose el revés de la mano por la frente sudorosa. Natario cayó inerte al suelo; los aprendices ya no reían; uno se levantó, y con el agua de remojar le roció las sienes. El chico abrió los ojos, se incorporó, tambaleándose, y con la cabeza baja se acercó al banco más próximo. Disimuladamente asió una herramienta afilada, una cuchilla de cortar suela, y volviendo hacia el maestro, que resoplaba en su silla, refunfuñando todavía para reclamar el duro, tiró tajo redondo, rebanándole mitad del pescuezo, del cual brotó un surtidor escarlata, mientras el hombre se derrumbaba sin articular un grito.

El Imparcial, 10 de septiembre de 1906.

Las veintisiete

Había oído hablar Ramiro Nozales de cierto filósofo, el cual no era de estos metafísicos sutiles consagrados día y noche a la investigación de las causas y orígenes, relaciones y sustancialidades de lo creado y lo increado, sino que, al contrario, complaciéndose en bajar a la tierra, aplicaba su inteligencia ejercitadísima a comprender lo relativo, aceptando al hombre, no cual salió de las manos divinas, sino con las modificaciones que le impone la sociedad. En suma; el tal filósofo, en vez de profesar teología, ontología o cosmología, profesaba mundología, pero mundología elevada, quintaesenciada y sutil; sus alumnos aprendían de él la aguja de marear más sensible y la gramática parda encuadernada en el tafilete de Esmirna más suave y bien curtida; y Ramiro Nozales, incitado por la fama que el filósofo iba ganando, se resolvió a consultarle y a oír sus lecciones, que en verdad le hacían buena falta.

Recibió el filósofo al nuevo alumno de noche, en la biblioteca, de elegante severidad, muy abarrotada de libros y alumbrada por un gran quinqué, cuya pantalla figuraba melancólico búho; al través de sus pupilas de esmeralda se traslucía claridad misteriosa y fosfórica. Nada hay que desate la lengua como la semioscuridad y la luz verdosa y velada; así es que Ramiro abrió su corazón, hizo su completa biografía, refirió sus cuitas y declaró que se encontraba a los treinta años de edad, saturado de desengaños y amarguras, semiarruinado y con un pinchazo en el cuerpo, que, si no acierta la espada a resbalar en una costilla, bien podría haberle atravesado el corazón. Escuchó el maestro atentamente, acariciándose la aliñada barba negra, sonriendo a ratos, y otros reflexionando; la blancura marfileña de su frente calva y reflejo de sus limpios dientes iluminaban su faz, en que los ojos parecían dos manchas de sombra. Así que hubo terminado Ramiro, el filósofo tomó la palabra.

–Su historia de usted –dijo– nada tiene de particular. Se parece a la de otros muchos, a quienes he curado, asegurándoles existencia dichosa, solo con un sencillísimo cuerpo de doctrina reunido en breve espacio. Todo lo que le ha sucedido a usted de malo y desagradable es debido a que usted ignora esa doctrina sabia y benéfica. Los desengaños los ha recibido usted de sus amigos; del uno respondió usted, y él cometió desfalcos; en el otro depositó usted confianza, que él vendió; el de más allá le quitó a usted la novia. La semirruina de usted procede de prestar cantidades para sacar de apuros a determinadas personas, que todavía no le han devuelto un real. El pinchazo es porque tuvo usted la inadvertencia de avisar a un creyente de que le engañaba una hembra, la cual le persuadió de que usted procedía así por despecho. Esto lo sé por usted mismo; no puedo estar mejor informado.

—Verdad es —asintió Ramiro—. Pero me parece asaz difícil, por no decir imposible, evitar tales contingencias, viviendo entre hombres; y puesto que ya lo pasado no se ha de remediar, quisiera precaverme contra lo que está todavía por venir. No soy tan viejo que no deba esperar mejor fortuna, ni tan mozo que la imprevisión me ciegue. Venga, pues, ese cuerpo de doctrina breve y categórico, que yo lo pondré sobre mi cabeza como se ponen los textos sagrados.

—La doctrina —dijo el filósofo lentamente— no consiste más que en una lista o catálogo...

—¿Una lista? —repitió Ramiro con sorpresa.

—Sí, tal; una lista... de las veintisiete cosas que no le importan a usted.

—¡De las que me importan, querrá usted decir!

—De las que no le importan, repito. Porque ha de saber usted que todas las desazones, berrinches, tribulaciones y pérdidas que en este mundo padecen los mortales, no las padecen por lo que les importa, sino por lo que debiera, en rigor, tenerles sin cuidado; y así, desde el momento en que usted se imponga y entere de lo que no le importa un comino, meditará usted despacio en que no debe arriesgar ni el valor de ese comino por ello, y después de asimilarse verdad tan patente, si procede usted en consecuencia, libre quedará de cuantos sinsabores hasta el día le han agobiado. Voy a escribir la lista; entre tanto, diviértase usted en recorrer esos libros, que tienen grabados muy hermosos.

Obedeció Ramiro, algo mortificado en su amor propio, y a la media hora recibía de mano del filósofo una tira de vitela que encerraba veintisiete renglones manuscritos, separados por barras de tinta roja. Al recogerse a su casa, no tuvo Ramiro cosa de más prisa que aprenderse de memoria el catálogo de las veintisiete cosas que no le importaban... y, bien empapado en aquellos preceptos negativos, se dedicó a seguir su vida habitual.

En la primera reunión a que asistió, la casualidad le hizo sorprender, en un espejo, furtivas señales de inteligencia entre la única hermana de su mejor amigo, niña candorosa, y un tronera de peor intención que un toro; su impulso fue avisar al hermano, pero inmediatamente recordó la tira de pergamino: una de las veintisiete cosas que no le importaban era «la conducta de la mujer ajena». Callóse, pues, como un muerto, y a los quince días el tronera robó a la muchacha. Al salir del sarao, un mozalbete provinciano, que había sido recomendado a Ramiro por su familia, se despidió de él delante de un garito; Ramiro comprendió que iba a jugar, a buscar, probablemente la desesperación y la deshonra; pero su código fundamental decía que una de las veintisiete cosas eran «los vicios de los demás»; y no experimentó remordimiento alguno cuando poco tiempo después supo que el mozalbete se había pegado un tiro.

A cada momento resaltaba la eficacia de las enseñanzas del sabio: apenas se ofrecía circunstancia que no la demostrase. En el catálogo de las veintisiete se incluían todas las ocasiones que de malgastar oro, voluntad y salud se ofrecen a un hombre en la vida social. Al practicar la doctrina del filósofo, aquel retraimiento discreto y prudentísimo, aquella abstención admirable, Ramiro conocía que su calma, su seguridad, su hacienda, su misma reputación y buen concepto crecían de continuo. Cuanto menos hacía, menos se exponía, más le respetaba y consideraba la gente, y aumentaba su crédito y ganaba simpatías. Al principio, Ramiro no cesaba de bendecir al filósofo. Su estado moral se traducía en una sensación física muy rara. Parecíale que alrededor de su cuerpo iban elevándose unos muros, invisibles para todos, visibles solo para él. Estos muros, al principio leves y mal cimentados, poco a poco se convertían en grueso reducto aspillerado, sólido e inexpugnale. Detrás de aquella fortaleza, ¡que le atacasen! ¡Vengan enemigos! Y por si no bastaban los muros, sintió Ramiro que sobre su torso también nacía y se condensaba una coraza de acero, templada, recia, a prueba de bala y puñal. ¡Qué tranquilidad tan grande y provechosa sentirse resguardado por el impenetrable metálico forro!

Sin embargo, corriendo días, Ramiro notó como un vapor de angustia, ligero al pronto, más caracterizado después. Era opresión al corazón y a los pulmones; era falta de aire, vago malestar, unido a cierta especie de modorra. Juraría él que la dichosa coraza iba estrechándose y por todos lados le oprimía. Tanto llegó a fatigarle este mal, que al fin, triste y mohíno, fue a llamar otra vez a la puerta del sabio, a quien encontró en la misma severa biblioteca, alumbrado por las pupilas glaucas y fascinadoras del búho.

—¿Viene usted a darme las gracias? —preguntó apaciblemente.

—Sí y no... —fue la respuesta de Ramiro—. No cabe duda que le debo a usted gratitud. Me ha evitado usted desazones, gastos y ridiculeces sin cuento. Me ha granjeado usted la estimación general: desde que no me empeño en hacerles ningún bien, los hombres me aprecian y consideran doblemente. Mi situación es cien veces mejor que cuando vine aquí a recibir de manos de usted el Alcorán de la sabiduría. Pero el caso es que me falta algo... no sé qué; y, además, la coraza con que usted me ha revestido, me ahoga. Antes, cuando me importaba lo que no me importaba..., creo..., sospecho a veces... perdóneme usted si digo una tontería..., pero se me figura que, por momentos, era yo más feliz y más bueno... ¡De esto sí que estoy seguro! ¡Yo era más bueno!

Calló el sabio, y, entre tanto, sus pupilas de sombra, vastas y profundas en su cara descolorida por el reflejo verde, se fijaron en el afligido discípulo. Al fin, en voz grave, esa voz que se timbra con broncíneo son al pronunciar solemnes palabras, dijo:

—Usted vino aquí a pedirme el tuétano de la sabiduría humana. Yo se lo di en lo que usted llama Alcorán. Si eso no le basta, si nota asfixia del alma, vacío de abismo... entonces no le soy a usted necesario; mi Alcorán sobra. Coja usted el Evangelio.

El Liberal, 5 de agosto de 1897.

Vocación

Román subía la escalera de casa de su novia con la alegre presteza habitual. Sus ágiles piernas de veintiséis años salvaban dos a dos los escalones, cuando gritos salvajes de dolor, seguidos de otros agudísimos, que traducían infinito espanto, le hicieron dispararse en galope loco al descanso del inmediato piso. El cuadro que se le apareció le dejó petrificado un segundo. En el suelo, su Irene se retorcía, se revolcaba, envuelta en llamas; ardía su ligera ropa, ardían sus cabellos rubios. Alrededor de la víctima, un grupo: madre, hermana, criado –hipnotizados, inmóviles a fuerza de horror–, dejándola morir en aquel suplicio. Instantáneamente Román comprendió; instantáneamente se arrojó sobre la joven, revolcándose a su vez con voluntaria brutalidad, extinguiendo por medio del peso de su cuerpo las vivas llamas. Sus manos –para quienes eran sagradas aquellas vírgenes formas– las palpaban ahora sin consideraciones de falso pudor, apagando el incendio como podían, a puñados, arrancando a jirones telas y puntillas inflamadas aún. La madre y la hermana, a ejemplo de Román, desgarraban traje y enaguas, desnudaban a la mártir su túnica de Neso. Al fin, consiguieron recogerla desvanecida –pero respirando aún– y transportarla a su alcoba, depositándola sobre la cama, mientras el sirviente corría a la Casa de Socorro a buscar un médico.

La hermana, sollozando, explicó lo sucedido. Nada, un descuido; la maquinilla de alcohol donde calentaban los hierros de ondular, volcada; el líquido ardiente prendiendo en la flotante manga de la bata de muselina; el sufrimiento y el terror, que inspiran lo contrario de lo que aconseja la prudencia, y lanzan a una carrera insensata hacia la puerta y hacia el aire libre; el aturdimiento de los espectadores, que no les da tiempo a hacer lo único indicado en casos tales, lo practicado por Román; y, al terminar el entrecortado relato, un abrazo confundía al novio y a la hermana, cuyas lágrimas mojaron las mejillas de Román, sus tiznados y chamuscados ojos.

Llegó el médico. Nadie se había atrevido a tocar a Irene, que, vuelta del desvanecimiento, se quejaba de un modo estremecedor.

Román ayudó; hizo de practicante, manejando las tijeras él mismo. Entre los circunstantes, ninguno se preocupó del extraño caso de aquel novio ante quien despojaban de sus últimos velos a la casta novia. La fraternidad y la indiferencia nacían del padecer. El cuerpo de Irene se mostraba como en la mesa del anfiteatro; mas la hermosa estatua juvenil era una pura llaga.

Mientras iban a la botica por calmantes, por medicinas, por algodón hidrófilo, por vendas, Román, arrastraba al doctor a la antesala y le preguntaba ansiosamente:

—¿Vivirá?

—Esperemos que sí. ¿Es usted su pariente?

—Soy su futuro esposo —contestó con sencillez Román—. Me contento con que no muera. ¿Sufrirá mucho?

—Torturas atroces, y que no podemos evitar. Avisen ustedes a su médico de confianza. Acaso sobrevenga fiebre y delirio. ¡La han dejado arder! Si usted no acierta a arrojarse sobre ella, apagando mecánicamente el fuego, ahora estaría carbonizada. Su intervención de usted la ha salvado.

Verificáronse punto por punto los vaticinios del doctor. Irene osciló entre la vida y la muerte bastante tiempo. Los que rodeaban su lecho, empezando por Román, solo se preocupaban de la mejoría. Ni cruzaban por la mente del novio otros pensamientos. Siempre pendiente de la opinión del médico, el tumulto del amor, su apretada florescencia de rosas, no existía desde la hora en que apagó con su cuerpo las llamas. A decir verdad, ni pensaba en cambio alguno de su manera de sentir, y mucho le sorprendió que la misma enferma, una tarde, a la hora en que él solía visitarla y leer en alta voz, para distraerla, los periódicos, le dijese:

—Román, ¿no sabes que he quedado feísima?

El novio fijó los ojos en el semblante de la novia, cruzado aún por vendajes, y contestó sinceramente:

—¡Qué disparate! En cuanto te quiten esas tiras de gasa y esos algodones, estará mi nena igual que estaba: ¡muy guapa, guapísima!

Ella insistió con firmeza:

—Estoy desfigurada: la cara, llena de costurones; el pecho con cada cicatriz... Por todo mi cuerpo señales... Román, no podemos casarnos. ¡Lo nuestro... se acabó!

Impaciente y enojado, protestó él:

—¡Qué manía te entra, Renita! Vamos, vamos, no te me pongas tonta; no quiero que seas así. ¡Chiquilla rara! Soy tu novio; soy tu enamorado; soy tu futuro, y nos echan las bendiciones apenas te sueltes por ahí sana y buena. ¡No faltaba otra cosa!

La voz que salía de detrás de los vendajes se deshizo, se quebró en llanto.

—Muchas gracias, Román. Ya sabía yo que... que me contestarías eso. Es natural en ti.

—¿Que si es natural casarnos? ¡Me gusta! No parece sino que se trata de algún fenómeno. ¡Ea, niña!, la mano.

Ella la alargó, enflaquecida y todavía áspera por la sequedad de la calentura. Román la besó piadosamente, como hubiese besado, a ser devoto, una reliquia.

—Escucha, Román... —pronunció hondamente la enferma—. Tú te portas siempre bien; demasiado me consta. Valdría más que te portaras peor. En vez de arrojarte sobre mí a apagar el fuego, debiste detenerte un minuto, lo bastante para que acabase de abrasarme. Así me salvarías de una suerte bien amarga..., sin hablar de los padecimientos, que no han sido pocos.

—¡Ea, ea, basta, niña! —exclamó Román—. No aguanto que continúes por tal camino. ¿De dónde sacas semejante suerte amarga, vamos a ver? Conmigo tu suerte será dulce; te querré mucho... ¿Es que pensabas hacer conquistas? A mí has de parecerme la mujer más bonita del mundo.

—¡A ti, no! —declaró con energía Irene.

—¿Tú qué sabes?

—Lo sé. Y te lo probaré... hasta la evidencia. ¡Ah! Si te pareciese a ti bonita, ¿qué me importaban los demás? Pero tú ni eres ciego ni eres de palo. Me detestarías; te avergonzarías de mí.

El novio se alzó en pie, entre desazonado y compadecido.

—¡A callar! —ordenó—. Mi niña está hoy nerviosa, y no quiero que se me ponga peor con estas conversaciones sin sustancia. ¡A callar, a obedecer!

—¿Me aseguras que sientes por mí lo que sentías antes... de la desgracia? —interrogó Irene.

—¿Pues quién lo duda? ¡Exactamente, boba!

—¿Me lo jurarías?

—Lo juro —contestó él sin titubear.

Hubo un instante de grave silencio entre la mujer que recibía tal prueba de ternura y el hombre que acababa de comprometer su porvenir. Román tenía asida la mano de la enferma y la estrechaba contra los labios. Y lo primero que se oyó fue la voz de la madre de Irene, que entró y vio la escena, y la aprobó sonriendo.

—No, no te muevas, Román... Estás bien ahí, hijo mío... He venido no más que a ver si ocurría algo. Quedáos en paz. Antes, ya te acordarás, no me gustaba dejaros solos, ¿eh? Pero ahora..., ¡bah!, si eres como un hermano de la pobre... Hazle compañía; entretenla. Tengo que atender a mi agente de Bolsa, que me aguarda en la sala.

Apenas la madre hubo salido, Irene se alzó sobre un codo y dijo a Román, que estaba cabizbajo:

—Ahí tienes la prueba que te ofrecí. ¡Mi madre nos deja solos!

Y atajando nuevas protestas de Román, añadió:

—No te esfuerces. Yo estoy resuelta: así que pueda levantarme y andar, irremisiblemente entraré en el Noviciado de los Paúles.

Blanco y Negro, núm. 645, 1903.

La bronceada

Fue a la salida de misa cuando la vi. Mal podría ser en otra parte; solo ponía los pies en la calle para eso, y madrugando. El tupido velo de su manto de luto, casualmente no le tapaba el rostro; el traje de negro merino moldeaba estrechamente sus majestuosas formas, haciendo resaltar lo aventajado de la estatura; al detenerse a humedecer los dedos en la pila del agua bendita y trazar con lentitud sobre su frente el signo crucífero, pude cerciorarme de que no me habían contado una conseja vana. La tez presentaba el tono enverdecido y hasta la pátina lustrosa del bronce. Los ojos eran amarillentos. Los labios, una línea más oscura. Tenía en mi presencia una fundición viva, envuelta en ropajes de tristeza.

¡Qué efecto me causó! Sentí frío; una especie de terror cuajó mi sangre. La había conocido antaño, en el esplendor de su morena y pálida beldad, vestida de gasa junquillo, en un asalto de esos que se convierten en animadísimos bailes. Reconocerla después de aquel cambio tan extraño... imposible. A duras penas discernía los lineamientos de las facciones. Solo el aire, el andar de diosa, recordaba a la belleza admirada bajo las luces y entre las bocanadas de música que venían del jardín, en el giro de un vals, que arremolinaba los volantes finos de su traje como nube dorada alrededor de un Sol de alegría...

La misma tarde del día en que vi la figura de bronce en el templo, busqué a Mauro Pareja, gaceta de la población, y exigí el relato entero, sin quitar una tilde. Al pronto se hizo de rogar, y en vez de satisfacer mi curiosidad quiso conformarse con especiosas reflexiones. Los pueblos son muy noveleros; la gente patrocina siempre las versiones románticas y nadie admite la explicación vulgar y sencilla, verosímil, de las cosas. Bien debía yo saberlo: el fenómeno que tanto me extrañaba era una enfermedad conocida, la de Adison, semejante a la ictericia, pero más grave: algo relacionado con el hígado; una alteración del pigmento y de los tejidos, que comunica a la tez el aspecto del bronce. Caso raro, sin duda..., pero... ¡pchs! ¡La patología es tan rica y variada...!

Después de torearme lo menos diez minutos, de improviso sonrió confidencialmente, hizo un gesto que parecía significar «vamos allá...», y cerrando la ventana –como si por ella fuese a escaparse el secreto– y la puerta –no se enterase la criada–, paseándose de arriba abajo y deteniéndose en los momentos culminantes de la relación para accionar y dar fuerza a los períodos, me contó lo que sigue:

La boda estaba tan próxima, que ya solo se esperaba la llegada de los trajes encargados por el novio para convidar a las amigas a la exposición de los regalos. Se suspendió y aplazó cuando a él le tocó en sorteo ir a Filipinas.

Hay que ser justos: a Iñigo Cervera —el novio se llamaba así— no se le ocurrió esquivar el cumplimiento de su deber. Embarcó en el plazo más breve, dejando cuanto aquí le atraía. Estaba perdidamente enamorado —ya recordará usted si era hermosa esa Borja Eguía que hoy parece un portalámparas—. Hay amoríos que, sin encontrar dificultades, corriendo por el cauce apacible de la conformidad de las familias al remanso del hogar, toman, sin embargo, un tinte poético que impresiona, debido a su vehemencia. Treinta o cuarenta señoritas conocidas se casan en este pueblo cada año, sin que nadie se preocupe de su idilio soso. El de Iñigo Cervera y Borja Eguía nos dio dentera a los solterones, y la disimulamos con guasa. La felicidad casi estática de la pasión que se afirma libremente, orgullosa de sí misma; la juventud y la gallardía realzando y explicando la pasión: ahí tiene usted lo que leíamos con envidia en los ojos de ella y de él, siempre que ansiosos de beberse la mirada fundían su luz, olvidando —estuviesen donde estuviesen, en el teatro, en la calle, en visita— la presencia de los indiferentes, el transcurso del tiempo y quizá el código de las conveniencias sociales...

Claro es que la llamada a la guerra cayó como una bomba; la despedida fue desgarradora y la ausencia un suplicio. Borja, adoptando, ya que no las tocas, al menos las costumbres de la viudez, se encerró en su casa; de allí no la arrancaban ni con grúas. Su madre, compartiendo el disgusto de la hija, hubiese deseado imitarla en el retiro; pero no era posible, porque no había de arrinconar a la otra, a Manolita, que tenía quince años y ya piñoneaba. ¿A esa llegó usted a conocerla? Era muy diferente de su hermana: blanca, rubia, sonrosada, vivarachuela, alegre como unas sonajas y su inclinación a tomar por lo trágico ningún suceso. Sin embargo, hubo un momento en que Manolita, rabiando o cantando, se vio forzada a avenirse a la reclusión. Su madre no encontraba decoroso que, sabiéndose por los periódicos y oficialmente el cautiverio de Iñigo, prisionero de los insurrectos, anduviesen de fiesta en fiesta mientras Borja se entregaba a su aflicción silenciosa.

Hiciéronse gestiones activísimas para saber noticias; se apuraron todos los recursos; mediaron influencias y recomendaciones; gestionóse en Madrid el rescate por conducto del Ministerio de la Guerra; pero un sino fatal lo inutilizó todo: no aparecía ni leve rastro del cautivo. ¡Como si se lo hubiese tragado la tierra! Porque el mar devuelve al menos el cadáver. Borja, aunque galvanizada por tenaz esperanza, comenzó a desfallecer. Se esparció el rumor de que estaba enferma. ¿En qué consistía su enfermedad? El médico Rozas, hombre nada comunicativo, solo respondía a los curiosos: «Del hígado.» Las enfermedades del hígado son varias, y frecuentemente las originan causas morales. No obstante, por reservado que el doctor fuese, transpiró el rumor de que Borja, de la noche a la mañana, se había vuelto de bronce. Aprendimos con asombro la existencia de un mal tan raro; nos compadecimos un poco, olvidamos luego... y siguió rodando la bola del mundo.

Nos refrescó la memoria meses después un acontecimiento: la reaparición de Iñigo Cervera, los anuncios de su vuelta sano y salvo. Había pasado larga temporada prisionero e internado en un país sin comunicaciones, sin posibilidad ni de intentar la evasión, pero en desquite muy bien tratado, y hasta con cariño, según la maledicencia, por damiselas color de tabaco, a quienes debía la libertad... Y no faltó el gracioso de tanda con el inevitable chiste fúnebre: «Así no extrañará la tez de su novia.»

Y aquí —recalcó el narrador, después de una pausa— empieza la parte oscura —no es calembour— de este sucedido; aquí es donde solo por conjeturas podemos guiarnos..., eligiendo, de las dos versiones que le ha dado el público, la que nos parezca más racional; más conforme con esa realidad modesta que generalmente huye de los golpes de efecto y desenreda la vida suave y prosaicamente.

La creencia menos general, pero más sensata y adaptable a la psicología femenina, es que Borja, después de sentir una alegría inmensa sabiendo que a Iñigo ni le habían martirizado ni matado, experimentó la reacción de una pena inconsolable, y hasta quiso, en el primer momento, no dejarse ver de él. Forzó esta consigna Iñigo, y desde luego afirmó, dentro y fuera de la casa de su novia, que venía a casarse loco de amor y de júbilo, más feliz que nunca al cerciorarse de cómo aquella incomparable mujer había conservado su memoria. Se traslució también una consulta secreta a Rozas, para indagar si era posible la curación; y aunque el dictamen del médico se ocultó, un compañero suyo, el doctor Moragas, dijo sacudiendo la cabeza, con la autoridad de la experiencia científica: «Incurable.»

Se tenía, no obstante, por cierto que se acercaba el día de la boda, porque Iñigo no salía de la casa de su futura. Suponga usted el asombro de la gente, cuando empieza a susurrarse que con quien se casa el oficial es, ni más ni menos, que con la propia Manolita, la hermana, la chiquilla rubia y fresca, de sonrosada tez.

Y no fue invención: ¡Verdad como un templo!... Una mañana, previa dispensa de amonestaciones, sin concurrencia, sin más que dos testigos, bendijo la unión el párroco; un coche esperaba a la puerta de la sacristía de San Efrén; Iñigo, ya destinado a Alicante, cogió el tren mixto con su esposa, y se sabe de ellos que andan por allá satisfechísimos y que pronto tendrán un nene... Estos son los hechos; pero los hechos, ¿qué importan? Lo único que vale son los móviles de los hechos...

Vamos, ¿cree usted, le cabe en la cabeza que tal enlace fuese imposición expresa de la misma Borja Eguía? ¿No tiene aire de novela eso de que Borja —y ¿a quién se lo fue ella a confiar? ¿Cómo se sabe?— dijese a su hermana: «Iñigo viene por mí, según afirma, pero sus ojos, que antes no se apartaban de mi cara, ahora no se apartan de la tuya. No creas que lo extraño: tengo espejo. Es tan natural mirar a una rosa, como desviar la vista de un cardo. Iñigo se casaría conmigo ahora mismo si yo lo exigiese... No quiero su mano, ni su nombre, ni su vida sin sus ojos... No llores, criatura... un abrazo para que se lo transmitas a mi hermano Iñigo...

¡Bah —concluyó Mauro, sentándose y cruzando una pierna sobre otra—. La gente se pirra por lo sentimental... Sabe Dios lo que habrá sucedido en casa de Borja, y si las hermanas se arrancarían el moño. Ello es que desde entonces Borja no sale de la iglesia.

El Imparcial, 13 de octubre de 1902.

El gusanillo

Antesala que precede a la capilla ardiente. Por la puerta entreabierta se divisa, allá en el fondo, la gran cama imperial, y a la luz amarillenta de los blandones fúnebres, entre el hacinamiento de las coronas y ramas de lila profusamente desparramadas, destellan las condecoraciones que honran el pecho del difunto. Los amigos y parientes, que han de formar el duelo, esperan conferenciando a media voz.

AMIGO 1.º (Persona conspicua y machucha.) ¡Quién lo dijera! ¡Si parecía tan fuerte, tan sanito!... ¡Más que todos nosotros! No ha guardado un día de cama.

AMIGO 2.º (Semijoven, gomoso, atildado.) Conmigo paseó a caballo el jueves, y hoy es lunes... Si soy yo quien maneja este cotarro, no permito que le entierren todavía. Está tan natural... Parece vivo.

AMIGO 1.º Vivo? ¡Pues si le han hecho la autopsia!

AMIGO 2.º La autopsia! Y ¿a santo de qué?

MÉDICO Por eso justamente... Por ignorarse de qué enfermedad ha sucumbido. Como que no padecía ninguna, no se le conocían achaques, y se hallaba en lo mejor de la edad. Crea usted que antes de proceder a dar el primer corte de escalpelo, buen cuidado tuvimos de cerciorarnos de si la muerte era real y no se trataba de una catalepsia o cosa por el estilo. ¡Muerto estaba... y bien muerto!

AMIGO 1.º Y al fin, ¿se ha averiguado de qué...?

MÉDICO (Llevándoselos a un rincón, lo más lejos posible de la puerta de la capilla ardiente.) ¡Ah! Una cosa muy curiosa. Verán ustedes... (Cuchichean.)

EL MARQUÉS DE LA GALIANA (Tío del difunto; señor vanidoso, quisquilloso, presumido, locuaz.) Padre, ¿y Matildita? ¿Ha repetido la convulsión?

EL CAPELLÁN (Anciano, pálido, afectadísimo, temblón de cabeza y manos.) No, señor; se ha tranquilizado un poco... Esperamos por lo menos que se resigne..., con el tiempo naturalmente...

EL MARQUÉS Es tan angelical... ¡Le quería tanto a este pobre sobrino mío! Es decir... le llamo pobre a Alberto, no sé porqué; en realidad no he conocido hombre de más suerte... ¡Una suerte loca de remate; y todos los dones de la fortuna! Salud, buen humor, figura simpática, linaje, riquezas y el don de engatusar a cuantos... y a cuantas le conocían. Ya ve usted lo que pasó con *Matilde*... ¡Bien sabe a lo que aludo! *Matilde*..., que ha sido, y es todavía, una belleza, y que además heredaba muchos millones, tenía tratada la boda con el hermano mayor de Alberto, Lucianito... Y se cree, ¡je!, ¡je!, que ya entonces prefería *Matilde* a Alberto, que gustaba más del menor... y que a él, por su parte, le hacía *Matilde* tilín... ¡pero vaya usted a asegurar estas cosas!... La malicia, padre capellán..., ¡la pícara malicia!...

EL CAPELLÁN (Con abatimiento profundo.) La malicia, inseparable de la mísera humanidad.

EL MARQUÉS La malicia..., sí, corriente... Solo que algunas veces... la malicia tiene su fundamento, vamos... No; en este caso yo no aseguro que lo tuviese... Alberto era un chico excelente... ¡Convenido! Siempre lo dije; bueno a carta cabal. Algo descuidado en visitar... eso sí... Hasta desatento. En un año, le veíamos media vez... En fin, defectillos insignificantes. Como lo pasaba tan bien y se encontraba tan halagado, se olvidada de cumplir con las personas de respeto. Lo que sucede, padre: cuando todo nos sonríe... Y a Alberto le sonreía todo... Hasta los mismos disgustos tremendos, las desgracias de la familia, ayudaron a encumbrarle... La muerte de su hermano..., aquella muerte tan impensada..., tan trágica..., ¿no se acuerda usted?...

EL CAPELLÁN (Turbado y deseoso de cortar la conversación.) Señor marqués... se me figura que ya se organiza el duelo...

EL MARQUÉS ¡Quiá, quiá! Si todavía no es la hora... Hay que cerrar la caja... Aún no ha llegado la mitad de los coches. ¡Qué sorpresa!, ¿verdad?, al ocurrir la catástrofe de Lucianito... Esos accidentes en las cacerías siempre aterran...; sí señor, aterran punto menos que un crimen...

EL CAPELLÁN (Aturdido, desencajado.) ¡Van a entrar en la capilla! Hago falta allí, señor marqués... Con su permiso... Hasta luego...

EL MARQUÉS (Aparte, pensativo, frotándose las manos.) —¡Je... je! ¿Qué mosca le ha picado al confesor de mi sobrino? ¿Por qué huye así, lívido de terror? Si cuando me escamo yo..., ¡vaya, vaya! ¡Aquella muerte de Luciano fue particular! Despeñarse a un precipicio engañado por la niebla... Eso no le sucede a quien conoce el país y lo ha recorrido desde muchacho. Y su hermano Alberto, que aparece diciendo que también la niebla le hizo perder el camino y por eso se apartó del grupo de cazadores... ¡Hum..., hum!... Con la tragedia de Luciano se hizo personaje Alberto. Lo sentiría mucho, lo sentiría lo que ustedes gusten; pero le vino como un guante: único heredero de los bienes, de la grandeza, de los títulos, y a los dos años esposo de Matildita... En fin, lo que uno cree, lo cree... (Pausa.) Matildita es una preciosidad. ¿Se consolará? ¡Je, je!... Ahora no le conviene rodearse de jóvenes casquivanos: queda al frente de una inmensa fortuna y necesita un sujeto experimentado y formal que sepa guiarla y aconsejarla con prudencia... ¡Encantadora Matildita! Vamos a verla, por si conseguimos que no note que sacan el cadáver... Luego me uniré al duelo... (Desaparece por una puerta interior.)

AMIGO 2.º (En el grupo del rincón.) ¿Y dice usted que nada..., nada absolutamente?... ¿Ninguna lesión orgánica?

MÉDICO Ni tanto así... Y mire usted que pocas veces se da este caso... Diariamente estamos haciendo autopsias, y en individuos mayores de cuarenta años siempre encontramos, cuando menos, grietecillas por donde empieza a cuartearse el edificio. El que no tiene una predisposición tiene otra; la vida nos gasta a todos; el oleaje siempre se lleva partículas de la roca, hasta que la destruye; solo que para acabar con la roca se necesitan siglos, y para acabarnos a nosotros..., ¡pschs!

AMIGO 1.º Pero ¿han hecho ustedes una autopsia... en regla, formal?

MÉDICO ¡Formalísima... minuciosa! Nos picaba la curiosidad y nos entregamos por gusto a una apasionada exploración. No quedó sitio que no registrásemos: riñones, bazo, pulmones estómago, hígado, cerebro, fueron visitados escrupulosamente. ¡Qué limpios, qué intactos los encontramos! ¡Daba gloria! Inverosímil. Créalo usted, atendida la edad no provecta, pero sí madura, de ese señor.

AMIGO 1.º (Insistiendo.) De modo que el hígado, el estómago, etcétera... ¿a las mil maravillas? ¿Y el corazón? ¿No dice usted si el corazón?...

MÉDICO ¡Ah! El corazón... En reserva... Yo también creí, dado lo súbito del fallecimiento, que se trataba de un aneurisma... Grande fue mi sorpresa al notar que tampoco el corazón presentaba lesión alguna. Sin embargo, al llegar al centro mismo del órgano, vimos... En confianza... No lo repitan ustedes... Porque no nos lo explicamos; ningún compañero mío se lo explica...

AMIGO 1.º ¿Qué, qué había?

MÉDICO Algo muy extraño... Un gusanillo pequeñísimo, escondido, cobijado, encerrado y domiciliado allí, que se dedicaba a roer su madriguera...

(Diálogo.)

ROSALBA ¿Cómo te gustaría a ti que fuese? ¿Rubio, pelicastaño, ala de cuervo sombrío?

AURINA Ninguno de esos pelos.

ROSALBA ¿Rojo? Es de traidores...

AURINA Hay traidores de todos los pelajes.

ROSALBA Entonces, ni rojo, ni rubio, ni... ¿Entonces?

AURINA ¿Entonces? Gris, y si puede ser blanco, ¡mejor!

ROSALBA ¡Gris! ¡Blanco! ¿Para enviudar pronto?

AURINA Justamente. Ese rasgo de penetración me prueba que vas despabilándote un poco. Porque ¡cuidado que eres simplaina tú!

ROSALBA Muchísimo. Ya hago lo posible por adquirir malicia; pero genio y figura...

AURINA Pues, chúpate el dedo y verás el camino que llevas. Mira: las de tu calaña me exasperan a mí. ¿Qué te propones en el mundo?

ROSALBA ¿Y tú?

AURINA ¡Me gusta! ¿Qué he de proponerme? Al nacer, nos meten en la mano el limoncillo de la vida. Estrujarlo, hija, a ver qué sabor tiene el zumo.

ROSALBA — Agrio. No, amargo. ¡Amargo!

AURINA — Porque no sabes echarle azucarillo.

ROSALBA — Échale cuanto azúcar quieras, un tinajón de melaza; entre el empalago ha de sobresalir, siempre y por último, la amargura.

....

AURINA no contesta; se levanta y se mira al espejo; sonríe a su imagen, se atusa el pelo que lleva peinado en tejadillo saliente y bufante, estilo modernista, y se arregla los chorritos de gasa que adornan el delantero de su blusa azul, toda incrustada de medias lunas de encaje amarillento.

ROSALBA — (Benévola.) ¿Qué haces, loquinaria?

AURINA — Paso revista a la infantería, a la artillería y a la caballería.

ROSALBA — ¿Aquí? Aquí no hay batallas. ¿Dónde está el enemigo?

AURINA — Dice el Catecismo que los enemigos nos persiguen en todas partes. No veo por qué dejarían de perseguirme en esta casa.

ROSALBA — Aquí no hay más que una amiga que te quiere de veras. Aunque pensemos de distinto modo, yo no vivo sin ti. Haces el sacrificio de venir a verme todos los días; te pasas conmigo, que no soy nada divertida ni nada alegre, tardes enteras y muchas noches; y ¡vamos!, sé estimar y agradecer.

AURINA — ¡Eh, eh, eh! ¡Incorregible! ¡No estimes, no agradezcas, no tengas ley a nadie, no te fíes de tu sombra! Parece que conocemos a la gente... y ni de vista. ¡Ni de vista! Te lo aviso. De mí témelo todo: soy mujer, ¡y si vieras qué perros somos las mujeres y los hombres!

ROSALBA — Haces alarde de mala y eres excelente.

AURINA — No me injuries. ¡Buena! Llámame ya, para lo que te falta, fea y tonta. ¿Sábes lo único que no me gusta ser? Disimulada ni falsa; y así, te prevengo que te guardes de mí más que de los otros, porque si me quieres más estoy en condiciones de hacerte más daño.

ROSALBA — Necesito creerte buena, creer bueno a alguien. ¡Dios mío! ¡Qué triste es dudar, Aurina! ¡Qué triste es sentirse solo, pensar que nadie nos quiere! (ROSALBA se acerca a su amiga y le pasa el brazo por el cuello.) Ya sabes que no llegué a conocer a mamá... Soy hija única... ¡Si tuviese una hermana, una hermanita menor, con quien comentar de noche los sucesos del día!

AURINA — ¿Y tu ínclito papá? ¿No te acompaña y entretiene bastante? Es muy entretenido el buen señor.

ROSALBA — (Pensativa.) ¡Mi padre!

AURINA — ¿Qué tienes que decir de él? Tan peripuesto, tan amigo de divertirse.

ROSALBA — Acaso por eso... no nos entendemos enteramente... en ciertas ocasiones...

AURINA — (Besándola.) Y conmigo, ¿te entiendes?

ROSALBA — (Estremecida.) ¡Qué helada tienes la boca criatura!

AURINA — (Riendo.) ¿Es que mis dientes de nieve la enfrían? Bonito, ¿eh? Lo que digo es que me alegro, me alegro de que conmigo te entiendas. Pienso que estemos mucho tiempo juntas: digo, a no ser que te me cases.

ROSALBA — O que te me cases tú, que será más probable; a tí te sobra gancho, y a mí no me dio Dios asomo de él.

AURINA — Y si me caso, ¿qué razón hay para que no sigamos tan amiguitas?

ROSALBA — (Con sentimiento.) No sé. Todo lo que cambia la vida, cambia los afectos. Si te casas, el amor a tu marido te hará olvidar a la amiga. Pues ¿y los chicos?

AURINA — ¿Chicos? ¡A la Inclusa con ellos! Prefiero los niños cuando ya saben sonarse y abrillantarse las uñas. Una hija como tú, me ilusionaría. Que otras den a luz los chicos: yo me encargo de llevarlos al teatro... ¿No estás conforme? ¡Tontona!

ROSALBA — No sé qué veo en tí... ¿Qué te pasa? ¿Has arreglado ya tu porvenir? Mucho te brillan los ojos. ¿Estás nerviosa? ¿Hay misterio? Ábreme tu corazón.

AURINA — Están forjando en Eibar la llave. Mi corazón tiene figura de cofrecito. He mandado que sea llave de esas a la inglesa, contra ganzúas.

ROSALBA — Noviazgo seguro. Lo que te preguntaba: ¿el pelo?

AURINA — Lo que te respondía: blanco; y se me olvidó añadir: teñido.

ROSALBA — ¿En serio?

AURINA — En fúnebre.

ROSALBA — Reflexiona, Aura. Es por toda la vida.

AURINA — Claro. Por toda... la de él.

....

ROSALBA enmudece: silencio triste y reprobador. Vuelve los ojos por no mirar a su amiga, y aparenta distraerse con el ruido que se oye en la antesala. Pasos algo pesados, craqueo recio de botas nuevas, anuncian que se acerca un hombre. La puerta se abre, y en el hueco aparece el papá de ROSALBA, setentón atildado y retocado; su levita, gris hierro, última moda, acentúa la prominencia de su vientre. En el ojal luce un clavel blanco, rodeado de ramillas de cilantro. Calza guantes de Suecia, y al moverse despide emanaciones de Ideal (el perfume más caro de la casa Houbigant). Viene preocupado, y no saluda a AURINA.

ROSALBA — (Mirándole como si le viese por primera vez.) Milagro, papá, que vengas a estas habitaciones.

AURINA — (Muy tranquila, dulcemente.) ¡Milagro que un padre cariñoso entre a preguntar cómo lo pasa su niña!

ROSALBA	Nunca acostumbra, y menos a estas horas...
AURINA	Las buenas costumbres, si no existen, hay que inventarlas. Tu papá vendrá, desde hoy, todas las tardes a enterarse de cómo lo pasas y a prodigarnos su amable conversación...
ROSALBA	(Atónita.) Y tú, ¿por qué dispones...?

AURINA. (Apacible.) Porque..., porque... (Al papá de ROSALBA.) Pero ¿no se atreve usted a entrar? ¿Se queda usted ahí? Pase usted: deseando estábamos su llegada.

ROSALBA	(Con súbita indignación, al oído de AURINA.) ¿Esas tenemos? Voy a decirle...
AURINA	(Al oído de ROSALBA.) Perderás el tiempo. No atenderá a nada que vaya contra su pasión. Puedes repetirle lo que hablamos de pe a pa; te desmentiré, y me creerá a mí. ¡Cuidado que eres bobalicona!

....

Mientras ROSALBA, petrificada, sigue mirando de hito en hito a su padre y AURINA, los dos se acercan y se arrinconan en la ventana, riendo y coqueteando. ROSALBA, pasado un instante, agacha la cabeza, atraviesa la habitación, cruza una puertecilla, entra en su dormitorio y se echa de bruces sobre la almohada de la cama, sollozando.

El Liberal, 16 de mayo de 1898.

El tapiz

El viejo poeta dejó caer la fragante cartita de su desconocida admiradora lejana, indicando un gesto de melancolía. «Me pregunta si soy joven aún...» Y no sabiendo qué contestar a aquel fogoso himno, escribió con cansada mano, en estrofas, sin embargo, brillantes, la especie de apólogo que transformo en cuento.

• • •

Fue en una tienda de anticuario parisiense donde encontró Rafael el tapiz persa y dio por él cuanto le pidieron: el resto de sus ahorros. Al pronto, no le preocupó más el tapiz que otros objetos de arte que poseía. Poco a poco, sin embargo, el tapiz se destacaba. Cuando inteligentes lo veían, o se deshacían en elogios o –actitud más significativa– afectaban frialdad y secura y, previos circunloquios de chalán, preguntaban, como al descuido, si no pensaba Rafael «cambiar el tapicito». Ante la negativa, venían las proposiciones insinuantes:

–Vamos, hasta los dos mil me correría...

Una semana después, el de los dos mil llegaba con la cartera bien abultada de billetes.

–¿No le tientan a usted los cinco mil? Cójame la palabra, que soy un encaprichado...

Y Rafael rehusaba; pero el tapiz, actuando ya sobre su fantasía, empezaba a ser base de la inconsciente labor con que creamos lo maravilloso.

A fin de averiguar en qué consistía el mérito de su tapiz, pensó que lo viese un eminente orientalista, explorador de Persia y la Bactriana. Y el orientalista, después de minucioso examen, abrazó a Rafael y exclamó extáticamente:

–¡Feliz mortal! Posee usted un objeto precioso. ¡Ya lo creo que se lo pagarían si se propusiese usted venderlo! Ya creo que aquí no saben su verdadero valor, su rareza inestimable. Únicamente yo, por mis viajes y mis especiales indagaciones, puedo asegurar que tapiz así no se encuentra. Solo he visto uno, y menos hermoso; lo poseía el rajá de Mirzapur y aseguraba que era sin par.

–Y ¿en qué consiste la singularidad...? –interrogó Rafael.

—¡Oh! Fíjese usted bien... Sus dibujos y matices encierran un secreto que ya se considera perdido. Se asegura que este colorido extraño, a la vez sombrío y esplendoroso, solo se obtenía tiñendo las lanas en la caliente sangre de la tejedora. Se cuenta asimismo que estos dibujos son un conjuro de hechicería, escrito en un idioma más viejo que el sánscrito; en un alfabeto desaparecido. Llámelas usted patrañas... Ello es que el tapiz, no aquí, en Asia misma no tiene precio.

Desde aquel punto y hora, como se declara una enfermedad latente en el organismo, se declaró en Rafael la fascinación del tapiz. Díriase que las misteriosas cláusulas del conjuro habían sido murmuradas a su oído por la voz de una bruja, y que el encanto le envolvía en su invisible red de telaraña. Rafael era romántico impenitente, y ocultaba el romanticismo porque comprendía que es inactual. Pero al ocultarlo lo acrecía, como acrece la luz de la lámpara al recatarla con la mano. Soñaba algo divino e imposible. Encontró en el tapiz lo que buscaba a ciegas. Encontró el amor.

El trozo de oriental tejido, flexible, suave, de entonaciones cálidas y vivas como las de carne morena, se transformó para Rafael en lo que se transforma para el enamorado la ropa que ha cubierto el cuerpo de la amada y que conserva su dulce calor. Más aún: se transformó en ella misma. ¿Acaso, según los informes del sabio, no estaban las lanas del tapiz reteñidas en la sangre de la tejedora? A aquella maga única, a la que había tejido y matizado el portento, era a quien Rafael evocaba con ansia infinita, con vértigos de locura. Y la veía, la veía de bulto, tan pronto como se envolvía en el tapiz sin precio, o cuando lo extendía para tratar de descifrar con ávida mirada el conjuro inscrito en caracteres de un alfabeto ya eternamente borrado de la memoria de los hombres, y ni aun conservado por la tradición.

Algunas lecturas, un poco de erudicción a salto de mata, debida a sus visitas a los talleres de pintores y escultores, habían sembrado en el cerebro de Rafael ideas que ahora se traducían en representaciones plásticas. Figurábase a lo vivo una de aquellas mujeres del Irán, de quienes dijo Alejandro Magno «que hacen daño al corazón». Una doncella de las que se ven en las miniaturas del Chá Namé: pálidas como la Luna, mostrando en el rostro, exageradamente oval, los sombríos ojos, el doble arco perfecto de las cejas anchas, el rojo cinabrio de la boca, entre el cual los dientes menudos brillan húmedos, como guijas en el fondo de cristalino remanso... Una doncella de cuerpo esbeltísimo y talle largo, menudo el seno, prolongados los brazos, con esas líneas fugaces, casi inmateriales, flexuosas, de enloquecedoras curvas de serpiente, adivinadas y restituidas al arte por el modernismo. Y se la figuraba sentada en cojines en una terraza de azulejos de color, donde los rosales florecen en jarrones de porcelana –a un lado un veladorcillo, en que el servidor dejó la bandeja con frutas y bebidas; a otro el laúd de tres cuerdas– sin interrumpir la languidez de su reposo más que para trabajar en el tapiz, para tejer en él, con lanas a que su sangre dio un color que no da ningún otro tinte, los caracteres del conjuro que despierta el amor en las profundidades del ser...

Y aquella mujer no sería como las otras: joven, hermosa, sí, pero de diferente modo, con rara hermosura, con juventud que brotaba de eternos manantiales, en las entrañas de la creación. Y las palabras que ella dijese serían las nunca oídas, y los estremecimientos de ventura que ella diese tendrían otro sabor, como de ambrosía jamás gustada por humanos labios.

Cuatro o cinco meses pasó Rafael a solas con su irrealizable ensueño. Y sentía necesidad de confiarlo, de explayarlo, de darle forma. Un día, encontró confidente: era un amigo que regresaba de largo viaje, y a quien no veía desde años atrás.

–Estoy hechizado –dijo Rafael–, sufro un maleficio. Me siento enamorado perdidamente de la tejedora de este tapiz, que fue una doncella, una beldad iraniense, y que me ha embrujado con su labor y con su sangre.

El amigo sonrió, mostrando el desengaño de los que han vivido mucho.

–¿De dónde sacas la belleza y la juventud de la tejedora? –preguntó irónicamente–. Las tejedoras de tapices tan preciosos son unas viejas secas como bambúes... Y mira... ¡en el tapiz está la prueba!

Sutilmente, entre las yemas de los dedos, manejó el tapiz y extrajo un cabito amarillento, casi invisible: una cana. Rafael la miró con espantados ojos. El conjuro mágico –que no tiene otro nombre sino juventud– se desvanecía, llevándose consigo las rosas alejandrinas y los tulipanes pérsicos del ensueño.

Blanco y Negro, núm. 602, 1902.

Libros a la carta

A la carta es un servicio especializado para

empresas,
librerías,
bibliotecas,
editoriales
y centros de enseñanza;

y permite confeccionar libros que, por su formato y concepción, sirven a los propósitos más específicos de estas instituciones.

Las empresas nos encargan ediciones personalizadas para marketing editorial o para regalos institucionales. Y los interesados solicitan, a título personal, ediciones antiguas, o no disponibles en el mercado; y las acompañan con notas y comentarios críticos.

Las ediciones tienen como apoyo un libro de estilo con todo tipo de referencias sobre los criterios de tratamiento tipográfico aplicados a nuestros libros que puede ser consultado en Linkgua-ediciones.com.

Linkgua edita por encargo diferentes versiones de una misma obra con distintos tratamientos ortotipográficos (actualizaciones de carácter divulgativo de un clásico, o versiones estrictamente fieles a la edición original de referencia).

Este servicio de ediciones a la carta le permitirá, si usted se dedica a la enseñanza, tener una forma de hacer pública su interpretación de un texto y, sobre una versión digitalizada «base», usted podrá introducir interpretaciones del texto fuente. Es un tópico que los profesores denuncien en clase los desmanes de una edición, o vayan comentando errores de interpretación de un texto y esta es una solución útil a esa necesidad del mundo académico.

Asimismo publicamos de manera sistemática, en un mismo catálogo, tesis doctorales y actas de congresos académicos, que son distribuidas a través de nuestra Web.

El servicio de «Libros a la carta» funciona de dos formas.

1. Tenemos un fondo de libros digitalizados que usted puede personalizar en tiradas de al menos cinco ejemplares. Estas personalizaciones pueden ser de todo tipo: añadir notas de clase para uso de un grupo de

estudiantes, introducir logos corporativos para uso con fines de marketing empresarial, etc. etc.

2. Buscamos libros descatalogados de otras editoriales y los reeditamos en tiradas cortas a petición de un cliente.

Made in the USA
Monee, IL
05 November 2026

68020862R00059